DÉTRUIREDESVIES.COM

Catalogage avant publication de Bibliothèque et Archives nationales du Québec et Bibliothèque et Archives Canada

Bélice, Dïana, 1985-

Détruiredesvies.com

(Tabou ; 25)
Pour les jeunes de 14 ans et plus.

ISBN 978-2-89662-334-1

I. Titre. II. Titre : Détruire des vies.com. III. Collection : Tabou ; 25.

PS8603.E443D47 2014 jC843'.6 C2014-941951-1
PS9603.E443D47 2014

Édition
Les Éditions de Mortagne
Case postale 116
Boucherville (Québec)
J4B 5E6
Tél. : 450 641-2387
Téléc. : 450 655-6092
info@editionsdemortagne.com

Couverture
© Kinos, www.kinos.ca

Dépôt légal
Bibliothèque et Archives Canada
Bibliothèque et Archives nationales du Québec
Bibliothèque Nationale de France
4e trimestre 2014

ISBN : 978-289662-334-1
EPDF : 978-2-89662-335-5
EPUB : 978-2-89662-336-5

1 2 3 4 5 – 14 – 18 17 16 15 14

Imprimé au Canada

Nous reconnaissons l'aide financière du gouvernement du Canada par l'entremise du Fonds du livre du Canada (FLC) et celle du gouvernement du Québec par l'entremise de la Société de développement des entreprises culturelles (SODEC) pour nos activités d'édition. Gouvernement du Québec – Programme de crédit d'impôt pour l'édition de livres – Gestion SODEC.

Membre de l'Association nationale des éditeurs de livres (ANEL)

Dïana Bélice

DÉTRUIREDESVIES.COM

ÉDITIONS DE MORTAGNE

À Jade,
une jeune fille extraordinaire,
inspirante et forte, qui, je l'espère,
sort grandie de cette expérience.
Merci pour tout.

À mes parents,
qui m'ont appris à m'aimer
pour celle que je suis,
et, surtout, à me respecter.

Sommaire

Prologue

Le curseur clignote, attendant que quelqu'un vienne lui faire dire ce qui lui passe par la tête. Et il n'a pas à attendre bien longtemps, car, quelques instants plus tard, des doigts se mettent à courir habilement sur le clavier.

www.facebook.com

Probablement pour la millionième fois, Camille tape l'adresse du réseau social le « plus cool du monde » dans la barre d'adresse de son navigateur Internet. Tout de suite après l'école, ses nouvelles copines, Kim et Anouck, sont passées à la maison. Comme elles ne savaient pas trop quoi faire après une session d'étude intense en vue des examens de fin d'année, pour relaxer un peu, elles ont improvisé une petite séance de photos.

Bien entendu, les images qu'elles produiront ne feront pas que rester indéfiniment sur la carte mémoire d'un appareil photo. Certainement pas ! Quelle perte ce serait ! Elles feront préférablement partie d'une nouvelle exposition sur la page Facebook de l'une des adolescentes. Durée de la présentation exclusive ? Infinie ! Et offerte aux yeux de tous ! C'est une exhibition à saveur internationale ! Et, dans le fond, les filles le savent. Elles savent qu'une fois qu'on a cliqué sur « Publier », c'est fait. Les photos se retrouvent sur le Web, et ce, pour toujours. Aucun moyen de les sortir de là. Mais les trois amies s'en moquent. L'important, c'est qu'à l'aide de ces clichés elles continuent de convaincre les garçons qu'elles sont jolies.

Désirables.

Sexy.

Mystérieuses.

Et DTF, aussi.*

Et ce, même si elles sont loin d'être des expertes en la matière. Mais ce n'est pas grave. Surtout, il ne faut pas le dire, qu'on n'a jamais couché avec quelqu'un. On doit juste faire « comme si ». Faire comme si ça ne nous faisait pas peur. Parce que le sexe, toute jeune fille de quinze ans connaît ça comme le fond de sa poche ! Après tout, sur Internet, il y a tellement de vidéos et d'images « éducatives » sur la chose ! Alors impossible de ne pas savoir de quoi on parle.

C'est très facile de faire comme tout le monde.

Comme les copines ?

Ce sont elles qui sont « tout le monde » ?

---

* *Down to fuck,* ou disponibles pour faire l'amour.

Non. Il ne faut quand même pas se faire de fausses idées ! Il serait plus juste de dire que « tout le monde », ce sont les chanteuses populaires de ce monde, qui démontrent à quel point elles sont femmes, fortes et indépendantes en dansant de manière suggestive et en sortant la langue à tout bout de champ en signe de protestation et de rébellion contre le monde entier : Fuck it ! I'm young ! Let me live* !

Mine de rien, ces femmes sont propulsées au rang de modèle à suivre.

Elles deviennent la norme, quoi.

Et, pour toutes les jeunes femmes de demain, montrer leurs seins, sans se poser de questions, deviendra synonyme de pouvoir, une manière d'obtenir ce qu'elles veulent dans la vie. Mais non, attendez ! Ne paniquez pas ! Ce ne sera pas fait en vain, voyons, mais bien pour un peu d'amour ou de respect. Tout est dans l'intention.

S'il faut souffrir pour être belle, comme on le dit, eh bien, pour être populaire et attrayante, il faut être aguicheuse à tout prix.

Quoi qu'il en soit, les lèvres en cœur, les mains dans les cheveux et arborant un faux regard de braise, les filles s'amusent. Mais, en même temps, elles craignent les commentaires que laisseront les garçons. Ceux de leur classe et ces autres, qu'elles connaissent plus ou moins ou pas du tout. Parce qu'elles ont envie de

---

* Allez tous vous faire voir ! Je suis jeune ! Laissez-moi vivre !

se faire dire qu'elles sont belles et que, si un gars en avait l'occasion, he would tap dat ass hard*. *Oui ! Comme dans la magnifique poésie de plusieurs chanteurs rap !*

Et qu'est-ce que ce serait bien, aussi, se disent intérieurement les jeunes amies, de se faire prendre une fesse dans le couloir de l'école et de se faire appeler « sexy » ! Juste pour avoir l'impression d'exister et de faire partie de ce groupe de filles cool qui plaisent aux garçons. Puis, peu importe si ce geste les mettait plus ou moins à l'aise. En émettant un rire gêné ou en lui donnant une gentille tape sur l'épaule, elles signaleraient bien au gars fautif que ça ne se fait pas.

Pas nécessaire de crier au loup !

Ce n'est pas comme si ce contact, qu'elles n'ont jamais demandé, était une forme d'agression sexuelle !...

Anouck s'était rendue à la chaîne stéréo de son amie et y avait connecté son iPod. D'une main experte, elle avait choisi la musique qui les inspirerait dans l'art compliqué de poser pour des photos réussies. Pop That *de French Montana avait remporté la palme et empli la pièce. Bougeant ses formes à peine développées d'une manière qu'elle voulait ensorceleuse, Camille s'était mise à chanter avec aplomb les paroles :*

– ... Let's get these hoes on the Molly, you know I came to stunt, so drop that pussy bitch, I got what

---

* Il lui ferait l'amour de façon rude.

you want, drop that pussy bitch, film it, film it, this bitch wants me to film it*...

Kim et Anouck s'étaient mises à rire de bon cœur en voyant leur amie filiforme bouger de la sorte.

Mais, pendant ce temps, pendant qu'elles se marraient bien, aucune des jeunes filles ne se demandait qui était la pute.

Aucune ne se demandait non plus qui était la salope à qui on devait donner de la drogue afin de mieux profiter d'elle et de tout mettre sur vidéo.

Mais on s'en fout ! Ce ne sont que des paroles ! Des paroles de chanson leur laissant croire que de se faire appeler bitch** *ou* hoe*** *par une amie ou un « chum de gars », ce n'est rien.*

C'est affectueux.

C'est pour rire.

C'est dit avec amour !

La petite séance était terminée. Un clic ici, un autre là, et, comme par magie, les photos des trois amies étaient en ligne.

---

* Traduction libre : « Donnons des Molly (de l'ecstasy) à ces salopes, je suis venu pour me faire remarquer, écarte tes cuisses, j'ai ce dont tu as besoin, écarte tes cuisses pour que je filme, filme, cette salope veut que je la filme. »

** Salope.

*** Pute.

Au moment où l'histoire commence, Camille ne connaît pas encore le duo formé par Kim et Anouck. Tout ceci n'est que le récit de ce qu'ensemble elles feront. Mais, bientôt, elles seront les trois mousquetaires.

Or, ce qu'elles ignorent encore, c'est que, d'une manière assez tordue, bien propre à la vie, leurs destins seront liés.

À jamais.

- 1 -

Camille et Philippe

Philippe roule tranquillement sur son *skate* et je marche à ses côtés, en silence. Nous allons nous asseoir au bord du plus haut module du *skatepark*, qui se trouve sur une énorme butte. Ça nous donnera une vue imprenable sur la ville. Ce n'est pas la première fois qu'on le fait et, de là, le panorama est magnifique. Surtout lorsque le soleil se couche. Tout comme moi, Philippe adore cet endroit. Une chance, parce que, sinon, je n'aurais personne avec qui partager tant de beauté. Si je le pouvais, j'emmènerais toute la ville ici, juste pour qu'elle puisse se rendre compte de ce qu'elle manque. Tout le monde s'apercevrait que cet endroit n'est pas qu'un lieu de rassemblement de jeunes qui fument ou créent des problèmes. C'est bien plus que ça.

Après avoir gravi la structure, Philippe s'assoit et place sa planche sous ses pieds pour la faire glisser distraitement de gauche à droite. Il prend ensuite appui derrière lui sur ses grandes mains. Je m'écrase lourdement à ses côtés en poussant un grand soupir. Un silence d'or plane entre nous. On en est encore à la phase de contemplation du paysage.

– J'pense que j'me tannerai jamais de cette vue, Phil, je commence en mettant mes bras en croix, comme si je voulais embrasser le paysage.

Philippe pousse un petit rire.

– Quoi ? je réplique.

– Rien, tu me fais rire. C'est l'fun de voir à quel point tu apprécies les petites choses.

– Pourquoi j'suis encore célibataire, alors ? Tu peux m'le dire ? C'est facile de voir qu'un gars aurait pas grand-chose à faire pour me gâter, non ? Ah ! Je sais ! Présente-moi un de tes copains ! je lance comme si c'était la meilleure idée du monde.

– Pas question ! Ce serait trop bizarre de te voir avec un de mes amis...

– Argh... C'est une cause perdue ! Si même toi tu veux pas me proposer quelqu'un, je suis pas mieux qu'une bonne sœur : je vais finir ma vie toute seule !

– Sois patiente, ça s'en vient.

– Raconte ça à d'autres, Phil, lui dis-je en me levant pour jouer les funambules. J'veux être amoureuse ! J'ai envie de sentir que j'suis importante pour quelqu'un. Qu'il pense à moi, qu'il me voie dans sa soupe et que mon absence le torture !

– Wow, c'est toute une liste que t'as là ! Pourquoi t'es si pressée, au juste ? rétorque-t-il.

– Parce que j'en ai assez de me tenir avec toi ! (Il ricane, sachant que je dis ça pour rigoler.) Mais sérieusement, Phil. J'suis prête à rencontrer mon prince charmant. J'le sens au plus profond de moi !

Je viens de dire ça sur un ton intense et dramatique, juste pour qu'il comprenne bien que j'ai vraiment besoin de ça dans ma vie. Je sais que je veux une relation amoureuse et que c'est la chose la plus importante du monde depuis que ma grand-mère irlandaise m'a raconté son histoire d'amour avec mon grand-père. Ils se sont rencontrés alors qu'ils avaient tout juste quinze ans et, dès que leurs regards se sont croisés, ç'a été l'amour fou. Depuis, ils ne se sont pas lâchés d'une semelle. Elle me dit tout le temps comment grand-papa est important pour elle et comment sans lui, son meilleur ami, elle ne serait rien. Ils sont trop adorables à voir. Mes grands-parents vivent une histoire d'amour idyllique, digne des grands films hollywoodiens. Pleine de romantisme, d'espoir et de promesses. C'est ce que je veux. Ce n'est pas la mode, mais ce genre d'amour-là, je sais qu'il dure. Papa et maman ne l'ont peut-être pas connu, mais moi, je n'ai pas l'intention de faire les mêmes erreurs qu'eux. Puis quand j'y pense, il faudrait que je trouve mon prince charmant au plus vite. Mes quinze ans arrivent à grands pas !

– En tout cas, j'pense que j'suis amoureux, moi ! Bon, amoureux, c'est peut-être un grand mot, mais j'ai un *kick* sur une fille, lance Phil en ignorant carrément ce que je viens de dire, en ayant sans doute marre de m'entendre radoter.

Lorsque je prends conscience de l'ampleur de ce qu'il vient d'énoncer, je manque un pas. J'ai bien failli me casser la gueule ! Je me mets en petit bonhomme près de lui, pressée d'en apprendre davantage.

– Quoi ?!? C'est qui ?

– Elle s'appelle Kim.

– Kim la présidente de classe ou Kim les fonds de bouteilles ? je prends le temps de m'assurer.

– C'est vraiment nécessaire de poser la question ? objecte-t-il en me regardant avec un sourire aux lèvres.

Je pousse un autre soupir en lâchant mon ami des yeux. Je m'applique ensuite à fixer le sol. Encore un autre qui tombe sous le charme de Kim Blainville, miss-trop-parfaite-qui-m'ignore-parce-que-je-ne-suis-pas-assez-cool. Je n'aurais jamais cru que Philippe serait du lot de ces gars qui chavirent en raison de sa beauté toxique. En fait, j'espérais qu'il ne fasse *jamais* partie de ceux-là. Tout à coup, je me sens seule. Seule, sans personne à aimer à part mon meilleur ami. Et on s'entend que je ne l'aime pas comme *ça* ! Même si la fille dont il est amoureux n'est pas le genre de personne avec qui je souhaite qu'il sorte (Philippe mérite la meilleure fille du monde !), au moins, lui, il trouve quelqu'un de son goût.

Contrairement à moi, Philippe a un certain statut à l'école. Il n'est pas sportif, mais tout le monde aime bien sa bouille sympathique. Il est du genre qui discute avec toi, peu importe le groupe dont tu fais partie. Bref, Philippe, c'est un intouchable. Il est assez cool pour se tenir avec les plus populaires de l'école et assez grand et baraqué pour ne pas se faire achaler par les *bully*. C'est donc tout à fait normal qu'il souhaite fréquenter quelqu'un comme Kim Blainville. Quelqu'un de son « calibre », si je peux dire ça. Parfois, je me demande pourquoi on se tient ensemble. On est loin d'avoir les mêmes cercles d'amis, surtout que le mien est assez restreint... Il n'y a que moi dedans. C'est ce qui fait en sorte que j'ai encore plus envie de garder Philippe pour moi toute seule. Qu'il ait des « amis de gars », d'accord, mais je veux être la *seule* fille. On était bien comme ça, non ?

– Mais qu'est-ce que vous avez tous à capoter sur cette fille ? je m'informe, agacée.

– Le seul problème, c'est qu'elle sait pas que j'existe..., marmonne-t-il, pensif.

Ça y est ! Je disparais déjà dans le décor ! Il m'ignore encore.

– N'est-ce pas là notre problème à tous ? je lance, sarcastique, en me rassoyant près de lui. Sérieusement, il faut que tu me dises c'que tu vois en elle. Au pire, peut-être que ça va me rendre moins *clueless* sur comment me trouver un chum.

– Aaaah..., soupire-t-il. Par où commencer ? Elle est intelligente, jolie... Elle a de magnifiques yeux bleus profonds, des seins qui...

– OK ! C'est bon ! J'en ai assez entendu !

Philippe se met à rire de nouveau en entourant ses genoux de ses bras ridiculement longs. Il regarde droit devant lui. Même si je ne vois pas ses yeux, je sais qu'ils doivent être rêveurs. Si Philippe avait un deuxième prénom, ce serait probablement Rêveur. Philippe Rêveur Auger. Il est peut-être un ado normal, mais il a vraiment un problème quand vient le temps d'aborder le sexe opposé. Un peu comme moi, il est intimidé. Pourtant, Philippe est vraiment canon, comme personne. Il ne devrait pas s'en faire avec ses techniques de *cruise*. Sa face est son meilleur argument. Son seul défaut est de ne pas savoir comment s'y prendre.

– C'est une croqueuse d'hommes, Phil ! Tu peux pas t'amouracher d'une *maneater* ! Tu peux avoir toutes les filles que tu veux !

– Elle est pas si pire..., tente-t-il de se convaincre.

– Pas si pire ? La semaine dernière, c'était Benoit Valiquette, et, la semaine avant ça, Simon Saint-Pierre et Adam Sinclair. J'suis même pas amie avec elle et je suis au courant ! Tu veux un conseil d'amie ? *Run, Phil, run !*

– C'est juste des rumeurs, tout ça !

– Toute une école sur la même longueur d'onde ? Vraiment ? J'pense que t'es dans le déni.

– Mais, sérieusement, Cam, c'est juste du superficiel, tout ça. Moi, j'ai vraiment envie d'la connaître.

Je sais qu'elle peut avoir l'air un peu *bitch* comme ça, mais... la manière qu'elle a de faire passer ses cheveux derrière son oreille. Aaaah ! lâche-t-il. J'sais pas. J'ai l'impression qu'il va se passer quelque chose entre elle et moi.

Je soupire de nouveau, découragée, et laisse mes pieds se balancer dans le vide. Tout à coup mélancolique, j'ajoute :

– J'aimerais tellement ça que quelqu'un parle de moi comme tu viens de le faire... À part la partie où tu disais qu'elle a l'air *bitch*, là...

Je remonte mes genoux contre ma poitrine et j'y appuie mon menton. Rapidement, des larmes se mettent à rouler sur mes joues. Je les essuie avec la manche de mon kangourou pour que Philippe ne les remarque pas. Il pose une main sur mon épaule et la tapote doucement.

– Allez, viens, on rentre. J'te ramène chez toi. J'te passe ma planche, si tu veux.

Je cale la planche sous mon aisselle et dévale le *halfpipe* en courant. Une fois sur l'asphalte, je saute sur le *skate* et tente d'avancer le plus rapidement possible. Le vent contre mon visage devrait faire sécher mes larmes.

– Camille Samson ! Ça va faire deux heures que tu es sur cette chose ! Tu veux bien fermer l'ordinateur avant qu'il surchauffe ?!

– Maman ! je lui hurle, contrariée. Premièrement, ça fait seulement trente minutes, et, deuxièmement, t'as déjà entendu une histoire d'ordinateur qui surchauffe, toi ?

Ma mère entre dans le salon et met une main sur sa hanche. Bon, elle utilise la fameuse pose qui veut tout dire : « Fais ce que je te dis, car je suis ta mère et j'ai le pouvoir absolu. » Je pousse un long soupir qui se termine par un petit cri, pour lui démontrer que je suis loin d'être d'accord avec ses manières de dictateur. En plus, je venais tout juste de commencer le visionnement du dernier vidéoclip de Rihanna ! Je ferme l'appareil et vais m'écraser sur le sofa, les bras croisés contre ma poitrine.

– Arrête de faire cette tête, me demande doucement ma mère. Tu veux bien ?

Je lui offre un sourire, tout sauf authentique, et elle me sert un rictus amusé. Alors là, je n'ai pas le choix de sourire franchement. Ma mère est peut-être fatigante une fois de temps en temps, mais je l'adore. Je trouve qu'on a une belle relation. Maman et moi, on a un lien spécial qui nous unit. Avec papa, c'est différent. On connecte moins. Quand il n'est pas au travail jusqu'à très tard dans la soirée, il fait surtout des activités avec mes deux frères, Nikolas et Samuel. Donc, maman et moi, on se tient parce qu'on est en minorité. Puis je pense que ça lui fait du bien, puisque papa et elle s'entendent comme chien et chat. Ça, c'est quand il est à la maison, et je dois dire que ça n'arrive pas souvent. Je les ai entendus s'engueuler là-dessus, un soir, alors que mon père était rentré passé minuit. Ma mère l'accusait de la tromper. Quand je l'ai entendue formuler ce reproche, je me suis figée, stupéfaite. Mon père n'a pas dû aimer ça non plus parce qu'il est reparti en claquant la porte. Même si ça me peine de les voir dans cet état, j'essaie d'ignorer la situation le plus possible. Après tout, c'est leurs oignons, et moi, j'ai déjà assez de ma relation avec mes frères à gérer !

Samuel et moi, on s'entend bien. Y a même eu un moment dans notre relation où on s'amusait beaucoup ensemble. Par contre, le fait que, moi, je voulais m'amuser avec des poupées et lui, avec des camions nous a très vite séparés. Il s'est alors mis à se tenir avec Nik, qui a été content d'avoir un partenaire de jeu à la maison. Moi, il n'a jamais pu me sentir, comme si j'étais un accessoire encombrant qu'il ne souhaitait pas apprendre à connaître. C'est comme s'il était resté au stade primaire du : « Ouach ! Les filles, c'est dégueu ! » En tout cas, on ne s'est jamais bien entendus et je ne pense pas que ça va changer. Pourtant, nous ne sommes pas si éloignés ! Nik a dix-neuf ans et Samuel, dix-sept.

Tiens, voilà justement mon père à temps partiel qui fait irruption dans la pièce. Armé de son journal et de ses vieilles pantoufles, ses lunettes sur le bout du nez, il s'assoit dans son fauteuil préféré. Dès que quelqu'un d'autre s'y installe, il ne se gêne pas pour réclamer *sa* propriété.

Mon père me sourit et me regarde ensuite du coin de l'œil avant d'ouvrir grand le journal, qu'il va prendre le temps de lire de A à Z.

– C'est samedi après-midi, poussin. Qu'est-ce que tu fais dans la maison ?

– J'ai rien d'autre à faire.

– Tu n'as pas des amis à aller voir ?

Avant que je n'aie le temps de répondre, mes frères déboulent dans le salon, équipés de leurs gants de baseball et d'un sac de balles. Nikolas ne se gêne pas pour répondre à ma place, ayant entendu le début de la conversation que j'avais avec papa.

– C'est parce qu'elle a pas d'amis ! répond-il moqueusement.

– Laisse-la tranquille ! crie ma mère de la cuisine.

– La ferme, Nik ! J'suis sélective, c'est tout ! je réplique en me disant que je suis capable de me défendre moi-même.

– Non, les *autres* le sont ! T'es pas super *cute*, sœurette !

À ces mots, insultée, je lui lance un coussin qu'il évite sans trop de difficulté.

– Ça suffit, dit mon père en ne lâchant jamais son journal.

– C'que veut dire Nik, reprend cette fois Samuel sur un ton plus doux, c'est que, si tu t'arrangeais un peu, peut-être que les gens auraient envie de t'aborder.

– Pfff ! J'te toucherais même pas avec un bâton, Camille ! lance Nikolas, incapable de retenir un rire gras.

– Ça suffit pour de vrai, Nikolas Samson ! s'emporte mon père. Allez dehors, je vous rejoins !

Plus fâchée que jamais, mais blessée aussi, je croise de nouveau les bras sur ma poitrine en me gardant bien de pleurer devant mon père, qui, de toute manière, n'y comprendrait rien. Il me dirait probablement que ce ne sont que des mots et que je n'ai pas à les prendre pour du *cash*. Mais lui, il n'a aucune idée de ce que c'est que de se faire assommer avec ce genre de commentaires tous les jours. Il ne s'en rend peut-être pas compte, mais, à force de les entendre, on finit par y croire...

Après s'être levé, mon père se penche vers moi.

– Tu es parfaite comme tu es, poussin. N'écoute pas ton frère. Il est juste jaloux parce que tu oses être différente.

Sur ce, il pose un baiser sur ma tête rousse et ébouriffée. Il est jaloux parce que j'ose être différente des autres ? Ça paraît que mon père n'appartient pas au même monde que moi. C'est pas ça que je veux, moi ! C'est le contraire ! J'ai envie d'être comme tout le monde ! J'en ai marre d'être celle dont on rit sans arrêt. C'est tellement misérable comme vie. Y a rien de courageux dans le fait d'être différent. Ah non, c'est pas tout à fait vrai : faut avoir tout un caractère pour passer à travers ce que je vis. Puis les autres peuvent bien ne rien comprendre, ils ne sont pas à ma place ! Les membres de ma famille ne savent pas c'est quoi, être invisible. Papa et maman étaient le roi et la reine de leur bal des finissants et mes frères pratiquent des sports dans lesquels ils excellent. Moi, je n'ai rien de spécial à part une tête d'épouvantail roux. Je n'ai rien qui ressort dans une foule. Quand tu te fonds dans la masse, tout le monde t'oublie, car tu n'as rien d'unique qui te fasse mériter qu'on se souvienne de toi. C'est exactement mon cas.

Il n'y a pas longtemps, en allant au cinéma, j'ai d'ailleurs vu une annonce qui disait ça, ni plus ni moins. Remarquez, c'était juste une pub pour une voiture, mais elle était tellement... vendeuse ! On y voyait des gens vivre à fond, faire des choses vraiment cool. Aller dans des concerts et y danser toute la nuit, sauter en parachute, embrasser quelqu'un qui ne s'y attend pas du tout, crier sur les toits comme si rien d'autre au monde n'existait... À la fin, c'était écrit en grosses lettres : « Ne soyez pas ordinaire, soyez unique ! » Et, croyez-le ou non, je n'ai pas pu profiter du film qui jouait ensuite, car je me suis rendu compte que ma vie à moi était vide de sens. Je veux dire, surfer sur le Net et aller faire un tour de temps à autre au *skatepark* avec son meilleur ami, y a vraiment rien de fantastique là-dedans. Je suis donc vouée à être ordinaire, tout le reste de ma vie, si je ne fais rien pour changer ça. Mais par où commencer ?

Je décide d'aller dans ma chambre, où je sais que je pourrai avoir un peu de paix en attendant le souper. Je ramasse la pile de romans près de mon lit et commence à en lire un, mais je me tanne rapidement. Si seulement j'avais un ordinateur ici, je pourrais faire ce qui me plaît, sans que ma mère vienne toujours m'interrompre en disant des niaiseries comme : « L'ordinateur va surchauffer ! » C'est complètement ridicule. Avec un peu de chance, mon vœu d'anniversaire va se réaliser et je pourrai enfin avoir un portable. Au moins, en attendant, j'ai mon téléphone intelligent qui fait l'affaire. Par contre, l'expérience n'est vraiment pas la même que sur un ordinateur ou, mieux encorc, une tablette, tiens !

Plus frustrée encore que je ne l'étais avant de venir dans ma chambre, je délaisse mon livre, *Orgueil et préjugés*, au profit d'un magazine. En le feuilletant, je ne peux m'empêcher de me dire que, si j'étais comme elles, ces filles qui en tapissent les pages, ma vie serait cent fois moins compliquée. Plus *hot*, comme le disait la pub au ciné. Être belle, riche et populaire, avec une horde de garçons à mes pieds, ça, ce serait la belle vie ! Si c'est assez inatteignable comme idéal, entre autres parce que je suis loin d'avoir les moyens de m'acheter toutes ces fringues qui amélioreraient mon apparence, j'aimerais au moins être assez cool pour enfin me faire remarquer par des garçons. Avoir le genre d'attitude qui fait en sorte que les gars bavent juste à me voir me balader dans le couloir. Comme Kim Blainville, dans le fond...

Ne tenant plus en place, je me relève pour me rendre à mon miroir et m'observer avec une attention chirurgicale. Mon visage est recouvert de taches de rousseur. En d'autres termes, il est affreux. Mes lunettes sont toutes égratignées parce que je n'y fais pas attention et, en plus, elles sont passées de mode. Des fois, j'essaie de les enlever, pour faire changement, mais je dois toujours me résoudre à les remettre sur le bout de mon nez parce que je vois que dalle. Pour couronner le tout, j'aurais besoin de mettre à jour ma tignasse. Je n'ai jamais, au grand jamais, passé une paire de ciseaux dans mes cheveux roux ou encore même pensé à les colorer. Bref, je n'ai rien de moderne. Pas étonnant que les autres ne sachent même pas que j'existe ou ne pensent qu'à se moquer de moi en me voyant. Je suis pathétique.

Ma mère m'appelle pour que je vienne manger. Après un rapide souper que j'ai à peine touché, au moment où je décide de me lever de table, mon père s'adresse à moi.

– Tes frères sortent ce soir, Camille. Chez Christian, qui habite à deux ou trois maisons d'ici. Je trouve que ce serait une bonne idée que tu y ailles avec eux.

– Quoi ?!? s'écrie Nikolas en s'étouffant carrément avec sa cuillerée de crème glacée.

– C'est une excellente idée, reprend ma mère. Je pense que ce sera un bon moyen pour toi de rencontrer de nouveaux amis.

– C'est cool pour moi, ajoute Samuel.

– T'es fou ? Sale traître ! Pas question que j'la traîne avec nous ! Elle va repousser tout le monde !

– Ne parle pas de ta sœur comme ça, Nik ! intervient ma mère.

– Est-ce que j'peux parler en mon nom et dire que j'ai aucune envie d'aller à une des fêtes débiles de Christian Roy ? dis-je avec du dédain dans la voix pour masquer qu'une fois de plus je suis piquée par les paroles de mon frère.

Mon père ajoute sévèrement :

– Camille s'y rend avec vous ou personne n'ira nulle part, ce soir.

Nikolas me regarde avec des couteaux dans les yeux. Je lui lance le même genre de regard. Après tout, c'est lui qui m'a mise dans cette situation. Je me serais très bien contentée d'aller me morfondre tranquillement dans ma chambre, moi ! Par contre, s'il ne va pas à cette stupide soirée, il ne se gênera pas pour me le mettre sur le dos. Je me résigne donc assez rapidement.

– OK, j'y vais.

– Parfait, lance mon père. Je suis certain que vous allez passer une excellente soirée tous ensemble !

Furieux, Nikolas se lève de table et monte à l'étage. Samuel fait de même en disant qu'il va se préparer. Il me conseille d'en faire autant. Une fois de retour dans ma chambre, je fouille dans ma garde-robe et mes tiroirs pour y trouver quelque chose de joli à me mettre sur le dos, mais rien ne m'inspire. De toute manière, je suis certaine que, peu importe ce que je mettrai, je vais être affreuse. À quoi bon me forcer ? J'enfile tout de même une de mes vieilles robes à pois que j'adorais il y a deux ans. Je la portais avec fierté. Mais, maintenant, elle n'est plus à la mode. Je passe un coup de brosse dans ma crinière pour tenter de dompter mes frisottis, en vain. Je les rassemble donc en queue de cheval, pour faire plus simple. Sans même me jeter un dernier regard dans le miroir, je descends.

J'attends mes frères en bas de l'escalier. Ma mère s'avance vers moi, un large sourire aux lèvres.

– Souris, poussin ! Tu vas voir, tu vas t'amuser, j'en suis certaine !

Sur ces mots, elle m'asperge du parfum qu'elle cachait dans son dos.

– Maman ! je m'offusque.

– Quoi ? Les garçons aiment ça, quand on sent bon !

Je pousse un grognement irrité au moment où mes frères dévalent les marches.

– On y va. Et, surtout, fais-moi pas honte, déclare Nikolas à mon intention.

Je roule les yeux au plafond et suis mes frères, qui discutent plus loin. Je me maudis d'avoir accepté de me présenter à cette fête, avant même d'y être. Je suis certaine que je vais détester, que je vais m'ennuyer et que je vais passer une mauvaise soirée. Aucune chance que ce soit le cas de mes frères !

Sur place, sans un regard ou un mot pour moi, Nik et Samuel partent chacun dans leur direction. Je suis bouche bée. Je pensais au moins qu'ils me diraient quelque chose du genre : « On se rejoint dans une heure, à la porte d'entrée » ou « Passe une bonne soirée. » Mais non. Rien du tout. Super ! Je vais devoir faire le guet toute la soirée pour ne pas les manquer.

Je me tiens le long des murs, question de ne pas déranger les danseurs ou ceux qui s'embrassent à pleine bouche dans à peu près tous les coins de la maison. Je devrais trouver quelque part où m'asseoir. Je vois justement un siège libre au salon.

À ma droite, deux filles discutent près de la cheminée. Elles sont tellement jolies ! J'adore comment la blonde aux cheveux longs, qui est dos à moi, est habillée. Pourtant, elle ne porte pas des vêtements dernier cri, mais plutôt des pièces intelligemment agencées. En repassant rapidement en mémoire ma garde-robe, je me rends compte que je pourrais facilement me recréer un look semblable. Alors que j'essaie de photographier son arrangement dans ma mémoire, je ne m'aperçois pas que je suis en train de la fixer. Pendant que je m'applique à me souvenir de chaque détail, l'autre fille me demande :

– Tu veux notre photo, peut-être ?

Honteuse, je baisse la tête. Quelle cloche je fais ! Voilà ! Je viens de me donner une centième raison d'avoir zéro ami. La fille que je fixais, celle aux cheveux blonds, se retourne et me regarde attentivement. Je la connais. Bon, dire que « je la connais », c'est un peu exagéré. Je devrais plutôt dire qu'elle est dans ma classe et que c'est le genre de fille qui, à l'opposé de moi, est loin de passer inaperçue. En fait, elle est pas mal populaire. C'est même la présidente de classe et la fille sur laquelle mon meilleur ami tripe solide. La célèbre Kim Blainville. Dernière chose à laquelle je me serais attendue : elle me sourit.

– Hé ! T'es pas dans notre classe, toi ?

– Euh... Ouais.

– C'est quoi, ton nom ?

– Camille. Camille Samson. J'suis la sœur de...

– On t'a pas demandé ton pedigree ! lance l'autre comme si j'étais une vulgaire groupie qui n'a pas le droit de s'adresser à la star sans qu'elle lui en donne d'abord la permission.

– Calme-toi, Vivianne ! Tu permets qu'on fasse connaissance ?

La principale intéressée soupire, frustrée.

– Moi, c'est...

– Kim Blainville, j'sais.

– Pfff ! s'exclame Vivianne. *Stalker !*

– T'occupe pas d'elle, elle est du genre possessif, me dit Kim en me faisant un clin d'œil.

Je me mets à rire. En plus d'être jolie, elle est drôle, Kim Blainville. Je suis agréablement surprise. Je m'attendais à ce qu'elle soit super froide et hautaine. Au moment où je m'apprête à continuer dans la même veine, avec une tentative de blague, nul autre que Nikolas vient s'interposer.

– Miss Blainville !

– Salut, toi, roucoule-t-elle en posant la main sur sa poitrine.

Et voilà. En un instant, je n'existe plus. Visiblement excédée, Vivianne disparaît dans une autre pièce. Pour ma part, je décide de faire comme s'ils n'existaient pas. Mais, en même temps, je ne peux m'empêcher d'observer du coin de l'œil l'attitude de Kim. Elle me fait penser à ces filles que je vois sans cesse dans les films et qui attirent l'attention des hommes. Qu'est-ce que j'aimerais être à sa place ! Juste en ce qui a trait à son comportement, on s'entend !

J'enregistre chacun des mouvements de Kim. Ça pourrait me servir. Je remarque qu'elle touche Nik sans arrêt. Que, de manière innocente, elle joue dans ses cheveux. Qu'elle pousse de petits rires mignons en portant un doigt à ses lèvres. Pendant ce temps, mon frère en redemande. C'est... tout ? C'est ce qui fait qu'elle est si captivante pour la gent masculine ? Mais je dois quand même avouer que moi aussi, je suis là à me pâmer devant son petit manège. Pour une fille comme moi, c'est comme un *crash course* sur la *cruise*. Je me surprends à penser que dans le fond, si ce n'est que ça, je pourrais m'y mettre aussi. Mais elle, elle respire la confiance. Elle *sait* qu'elle fait de l'effet aux gars, car elle est jolie...

Le « couple » quitte la pièce. Tant mieux. Je n'aurai pas à le supporter plus longtemps, même si j'étais bien intriguée par cette démonstration *live* de « comment obtenir ce qu'on veut quand on est une fille ». De toute manière, beaucoup d'autres personnes m'offrent à peu près le même spectacle, donc... Je décide de me lever pour me dégourdir les jambes. Puis je commence à avoir soif.

En me frayant un chemin parmi les invités, je me rends à la cuisine. Sur le comptoir, une tonne de boissons gazeuses trône. La forte odeur d'alcool qui flotte dans l'air me fait comprendre qu'il y a plus que du jus dans la place. Je décide de prendre une cannette de Coke. Comme elle est fermée, je suis certaine que rien d'autre ne s'y est glissé. Je n'ai pas l'intention de faire comme la majorité des filles ici et de jouer les dindes soûles incapables de poser un pied devant l'autre. Je suis peut-être poche, mais pas au point de vouloir faire comme *elles*. Moi, j'ai pas besoin de *feeler* tout croche pour avoir du fun, même si, en ce moment, je suis loin d'en avoir. C'est juste que c'est pas mon genre de party...

J'ouvre ma cannette, m'appuie contre le comptoir d'une main et bois de l'autre. Près du réfrigérateur, quelqu'un attire mon attention.

– Philippe ? Pourquoi tu m'as pas dit que tu serais ici ?

Celui-ci me regarde et un large sourire se dessine sur son visage. Même si je suis un peu froissée qu'il ne m'ait pas dit qu'il venait ici, alors que nous nous sommes vus plus tôt dans la journée, je n'en fais pas de cas. Je suis juste vraiment contente de trouver un visage familier.

– Hé ! Salut, Camille ! J'pensais pas que t'allais venir ! Si j'avais su, on serait venus ensemble...

Bon. Au moins, il se sent mal !

– T'as été invité par qui ? je lui demande innocemment.

– Par Christian ! C'est un de mes chums, tu sais, dit-il en prenant une gorgée de son Coke.

– Ah ! Moi, mes parents m'ont obligée à venir avec mes frères. « Pour rencontrer du monde », je fais en imitant moqueusement mon père.

– Ouais... Ça te fera pas de mal ! (Je voudrais lui arracher la tête, mais il ne m'en donne pas l'occasion.) En tout cas, j'ai entendu dire que Kim serait là ! Mais je l'ai pas vue encore.

– Aux dernières nouvelles, elle était dans le salon, j'affirme nonchalamment.

– Ah oui ? Elle était seule ?

– Non, désolée. Mon frère est déjà sur son cas.

Phil est visiblement déçu. Pourquoi ne suis-je pas étonnée ?

– Qu'est-ce que vous lui trouvez tous, à cette fille ? je demande encore, énervée qu'elle semble dicter l'humeur de mon ami.

– Elle prend le temps de s'arranger un peu... Contrairement à toi, lâche-t-il bêtement en me jetant un regard de biais.

Wow ! Philippe n'est pas content que je sois en train de médire sur son bel amour imaginaire, on dirait ! Je ne m'attendais pas à celle-là.

– Pardon ?

Il me regarde, comme s'il se rendait compte de la méchanceté de ce qu'il vient de me balancer à la figure. Mais qu'est-ce qu'ils ont tous à me parler de mon air, aujourd'hui ?

– Excuse-moi, c'est pas comme ça que j'voulais que ça sorte, mais... c'est vrai ! Si tu prenais le temps de t'arranger un peu, tu pourrais être... pas pire, toi aussi.

Il semble super mal à l'aise. Sûrement pas autant que moi. Est-ce que je fais vraiment si dur que ça ? Je me serais attendue à une telle réplique de la part de n'importe qui, même d'un inconnu, mais jamais de celle de Philippe. Je me sens profondément heurtée et atteinte dans mon amour-propre. C'est donc de cette manière que Phil me voit, lui aussi ? Pour lui, je suis juste une cause perdue avec laquelle il se tient de temps à autre pour se dire qu'il fait une bonne action ? Juste à y penser, j'ai un pincement au cœur.

– Tu manques pas d'air, Philippe Auger !

– J'voulais pas t'insulter, c'est... C'est un compliment !

– Un compliment ? J'vois pas de compliment là-dedans, moi, pauvre cloche !

– Arrête, Camille ! J'veux juste dire que, si tu prenais le temps de...

– Pas la peine de te justifier, Philippe !

– Mais t'es... T'es... (Il grogne.) Allez ! Tu sais c'que j'veux dire ! Force-moi pas à faire sortir les mots de ma bouche ! Ça m'ferait bizarre !

– J'te force à rien depuis tantôt ! Et, pourtant, t'as un vomi d'insultes juste pour moi, ce soir !

– T'es jolie, Camille, bon ! Faut juste le laisser ressortir !

Ah... Je ne m'y attendais pas, à celle-là. Pourtant, j'hésite entre lui foutre une claque ou le serrer dans mes bras pour lui dire « merci de me trouver jolie même si ça vient juste de toi et que ça compte pas ». Je choisis l'option la plus évidente.

– Va chier, Phil !

Furieuse, je quitte la cuisine et grimpe à l'étage. Une chaleur intense me monte à la tête et mon cœur bat vite. J'ai l'impression de fumer. C'est drôle, parce que c'est une des rares fois où on s'est chicanés. Je laisse ma cannette de Coke sur une table dans le passage, ma soif s'étant envolée. Faut que je trouve les toilettes. J'ai besoin d'être seule. Du premier coup, j'ouvre la bonne porte et... tombe sur Kim et mon frère. Ou plutôt, devrais-je dire, je tombe nez à nez avec mon frère qui tente tant bien que mal de remonter son pantalon alors que Kim est à ses genoux. Je reste de glace, vissée sur place.

– Tu vas fermer la porte, merde ! gueule mon frère.

Son cri me tire de ma léthargie. Quand je pose ma main sur la poignée, mes yeux croisent ceux de Kim. Elle affiche un air horrifié : se faire prendre à faire une pipe à un gars dans les toilettes d'un party, y a vraiment rien de classe là-dedans. Pour couvrir son embarras, elle me sourit fadement. Je jurerais qu'elle essaie de me faire croire qu'y a rien là. Tout à coup, je trouve qu'elle a l'air moins sûre d'elle, qu'elle est moins *glamour*.

Après avoir fait claquer la porte, je dévale rapidement les marches et me dirige vers l'entrée pour partir. J'en ai eu assez pour ce soir. Au moment où je mets le pied à l'extérieur, une main serre mon bras. Je me retourne : c'est Philippe.

– Camille, t'as pas à t'en aller, j'm'excuse ! C'est pas c'que j'voulais dire ! J'voulais pas te comparer !

J'ignore sa demande et lui lance :

– Ta jolie Kim, tu devrais aller voir c'qu'elle fait dans les toilettes ! Tu vas voir à quel point elle est merveilleuse !

Je me défais de sa poigne et sors sans plus attendre. Je savais que c'était une mauvaise idée de venir à cette satanée fête.

En arrivant à la maison, je me rends compte qu'il est relativement tard. Presque onze heures trente. Papa et maman sont couchés. Je monte les marches à pas de velours, question de ne pas les réveiller.

Une fois dans ma chambre, je me rends à ma garde-robe, sélectionne quelques morceaux et me déshabille rapidement. Devant mon miroir, j'enfile les vêtements que j'ai choisis. Je retire mes lunettes, détache mes cheveux. Cette tenue ressemble un peu à ce que Kim portait ce soir. En fixant mon regard, je tente de me donner le même air qu'elle arborait. Son allure sexy que tout le monde aime tant. Je passe mes mains dans mes cheveux et souris d'une manière que je veux séduisante.

Je m'imagine être Kim.

Ce n'était peut-être pas chic, sa petite scène dans les toilettes, mais elle, au moins, elle vit des expériences hors du commun.

Comme dans la pub du cinéma.

Si je ne veux pas faire comme elle dans la vraie vie, en cachette, je peux faire semblant d'être aussi cool.

J'ai remarqué que c'est un peu comme ça dans la vie : on dit que les autres sont cons, mais, en secret, on crève de jalousie. Et, en secret, on rêve d'être comme eux.

Satisfaite de l'image que me renvoie le miroir, j'avance vers lui et l'embrasse langoureusement, comme si c'était un garçon.

Et je suppose que le gars devant moi aime vraiment ça.

- 2 -

La rencontre officielle

Je me suis fait réprimander par maman. Elle m'en veut d'avoir quitté la fête sans avertir mes frères. Je me suis justifiée en disant que j'ai été la plus responsable des trois. Premièrement, je suis la seule à être rentrée à une heure raisonnable et, deuxièmement, je ne suis pas celle qui s'amusait de manière déplacée avec une fille dans les toilettes. Tout de suite, ma mère s'est retournée vers Nikolas, qui s'est mis à bégayer. Et voilà. Le tour était joué et j'ai eu la paix pendant qu'il avait droit à un discours sur les pratiques sexuelles *safe*. Par contre, c'est certain que je vais en subir les conséquences. Comme je le connais, mon frère va s'arranger pour me le faire payer. Mais là, pour le moment, je suis sauve, car la semaine a recommencé. Je peux donc arrêter de surveiller mes arrières et simplement me concentrer sur mes cours. D'ailleurs, je suis aux anges, car j'entame la journée avec un cours de français, ma matière préférée.

Je viens tout juste de prendre mes bouquins pour la première portion de la journée quand, lorsque je referme ma case, ma chemise se coince dans la porte.

Je soupire en voyant mon coup de génie et je me dis que je n'ai qu'à tirer sur ma chemise pour la décoincer. Très mauvaise idée. En tentant de la dégager, je fais sauter mes boutons l'un après l'autre et mon vêtement s'ouvre sur ma poitrine. Sur ma toute petite poitrine, qui refuse de se pointer, et sur mon mini soutien-gorge blanc à motifs de cœurs, taille 32AA. C'est difficile d'imaginer le trouble et la honte monstrueuse que je ressens en ce moment même. Pour mettre une cerise sur le sundae, les couloirs de l'école sont bondés, car on est juste avant le début du premier cours de la journée. Bref, encore plus de monde pour assister à l'humiliation du siècle !

Un gars que je ne connais même pas en profite pour passer un commentaire.

– Wow ! C't'une belle planche à repasser, ça !

Tous ceux qui n'avaient rien remarqué du drame qui est en train de se jouer dans ma petite vie insignifiante se retournent pour admirer le spectacle. Des rires se mettent à fuser de partout et je sens une boule se former dans ma gorge, des larmes se gonfler sous mes paupières. J'éclate quand un autre ajoute :

– Ouais, franchement, y a pas de quoi s'exciter !

Tout ce que j'ai entre les mains s'écrase au sol dans un grand fracas alors que j'essaie frénétiquement de déprendre ma chemise, qui refuse de coopérer. Question de faire durer ma totale mortification le plus longtemps possible, quoi ! Y a juste à moi que des trucs pareils arrivent ! Là, tout de suite, j'ai envie de rentrer sous terre. De tout simplement laisser tomber. Je cesse mes manœuvres un instant pour prendre une grande respiration. En même temps, j'en profite pour refermer ma chemise sur ma poitrine du mieux que je le peux. Pas besoin de faire durer le spectacle plus longtemps que nécessaire. Je ferme les yeux en me disant à moi-même de me calmer, que ça va aller. Une fois que j'ai un peu repris le dessus sur mes émotions, je recommence ma tentative de sauvetage, en vain. Rapidement, ma respiration repart en vrille et je sens un cri monter dans ma poitrine. Si je m'écoutais, je le laisserais s'échapper. Ça me ferait sûrement un bien fou.

Au moment où je décide d'arrêter de me battre contre ma case, parmi tous les rires qui s'intensifient, quelqu'un pose une main sur mon épaule. Je me retourne et j'aperçois Kim, devant moi. Tout à coup, je me sens comme hypnotisée par son regard. Pendant une fraction de seconde, je comprends encore plus pourquoi tout le monde est si fasciné par elle. Elle est tellement belle ! Je me sens carrément... sauvée. C'est con à dire, mais j'ai presque l'impression de percevoir un vent léger qui fait virevolter ses cheveux autour de son visage, comme un ange. Pendant un instant, j'oublie ce qui se passe lorsqu'elle me dit :

– Calme-toi, d'accord ? (Je hoche promptement la tête.) C'est quoi, la combinaison de ton cadenas ?

Sans réfléchir, je lui réponds :

– 35, 7, 12.

En deux temps trois mouvements, Kim ouvre ma case et en sort le bout de ma chemise qui était coincé. Ensuite, elle m'aide à ramasser mes effets éparpillés sur le sol. Elle regarde les curieux qui sont encore là à observer la scène.

– On peut faire quelque chose pour vous, peut-être ? siffle-t-elle entre ses dents.

Kim m'attire dans les toilettes. Lorsque nous y sommes, elle me demande de me nettoyer le visage avec de l'eau pendant qu'elle fouille dans son sac. Elle me tend un t-shirt.

– Tiens, enfile ça, tu vas en avoir besoin. J'ai toujours du linge de rechange avec moi. On sait jamais c'que la journée nous réserve, lance-t-elle.

– Merci, je lui réponds mollement en prenant le chandail.

– De rien. Si y a une chose que j'déteste, c'est les gens qui se moquent des autres gratuitement. Y avait pas de raison qu'ils se foutent de toi. C'est pas comme si ta poitrine allait pas se pointer à un moment donné !

Elle a lâché cette dernière phrase en posant ses yeux bleus sur ma chemise ouverte. Je me couvre du chandail qu'elle m'a tendu, mal à l'aise. Je réponds quoi à ça ? Elle me confirme qu'effectivement ils avaient raison de se moquer de moi parce que j'ai bel et bien une planche à repasser à la place des seins.

Mais, en même temps, elle m'encourage en disant : « Lâche pas, ma belle, ça s'en vient ! » OK... Perdue, je préfère me la fermer.

Je me retourne pour enfiler le t-shirt. Malgré tout, il me reste encore un peu de pudeur...

– Génial ! lâche-t-elle quand elle le voit sur moi. Il te va super bien.

La cloche retentit et nous nous dirigeons vers la classe (nous avons toutes les deux le même cours). Pendant ce temps, je me demande pourquoi elle est venue à ma rescousse. Pour une fille comme moi, ça sort vraiment de l'ordinaire. C'est peut-être parce que nous nous sommes parlé en fin de semaine... En tout cas, je lui en suis vraiment reconnaissante. Si elle n'était pas passée, qui sait combien de temps je serais restée là comme une idiote à tenter de me déprendre ?

Lorsque nous franchissons la porte, elle me sourit et va s'asseoir à sa place.

– Bonjour à tous ! lance la prof, quelques secondes après que la cloche du début des classes a sonné. Aujourd'hui, vous allez devoir composer une production écrite, mais à deux. Faites vos équipes et je vous explique le concept ensuite.

Je reste à ma place. Lors du dernier travail d'équipe, Philippe s'est jumelé à moi. Cette fois, il se mettra avec un autre de ses copains. Il a toujours l'habitude d'alterner pour contenter tout le monde. C'est un beau geste de sa part. Une autre raison qui fait en sorte que j'adore Phil. Mais de toute manière, aujourd'hui, je l'aurais probablement fait virer de bord : je suis encore folle de rage contre lui. Je vais encore devoir faire équipe avec l'autre rejet de la classe, mais je m'en moque. Après ce qui vient de se passer, j'ai envie de me faire toute petite.

Alors que je sors de quoi écrire, je reste bouche bée lorsque Kim se présente à mon bureau, se tire une chaise et s'installe en face de moi.

– Tu sais quoi ? Garde le t-shirt. Y est vraiment *nice* sur toi.

Je la regarde avec étonnement, un sourire hésitant sur les lèvres.

– Ah ouais ? T'es sûre ?

– Oui, oui, vas-y. T'as un coéquipier ?

– Euh, non...

– Ça te dit qu'on travaille ensemble ?

Je me retourne pour zieuter derrière moi, comme pour être certaine qu'il n'y a pas de caméra cachée qui filme le tout pour se foutre de ma gueule. Rien à l'horizon. Par contre, mon regard rencontre celui de Philippe. Il m'interroge des yeux pour savoir ce qui se passe. Étant donné que je n'en ai aucune idée et que, dans le fond, je lui en veux encore, je l'ignore. Je sais qu'il va se ronger les sangs toute la période en se demandant comment ça se fait que, soudainement, je travaille avec la fille qui, d'un, m'a toujours ignorée et, de deux, est celle sur qui il a un méga béguin. Ça lui apprendra !

La prof nous explique la nature du travail. Nous devons écrire une nouvelle, donc une histoire relativement courte, avec une finale inattendue. Tout au long de la période, je découvre une Kim pleine d'imagination et enthousiaste par rapport au travail que nous avons à faire. Encore une fois, je ne m'attendais pas à ça d'elle. Je croyais plutôt qu'elle serait du genre jolie et stupide. Mais, au contraire, elle est pleine de bonnes idées que j'ajoute sans broncher à notre composition.

La cloche annonçant la fin de la période retentit et nous devrons terminer cette production écrite à la maison. Elle comptera pour une quinzaine de points au bulletin. Ça veut donc dire que je devrai revoir Kim en dehors des cours. D'ailleurs, elle propose que nous échangions nos courriels et numéros de téléphone.

Dès qu'elle s'en va, Philippe vient vers moi.

– OK ! Faut que tu me dises tout ! Depuis quand t'es amie avec Kim Blainville ?

En guise de réponse, je lui offre un regard furibond. Non, mais ! Il pense que j'ai tout simplement oublié ce qui s'est passé en fin de semaine et que j'ai passé l'éponge ?

– Bon, d'accord, reprend-il après avoir compris ce que mes yeux voulaient lui dire. Je m'excuse. Encore ! J'te l'ai déjà dit, pourtant !

– Et alors ? Parce que tu t'es excusé, tu penses que ça fait disparaître la douleur et la peine que tu m'as causées comme par magie ?

– Non... mais... (Il pousse un long soupir exaspéré.) Qu'est-ce que tu veux que j'fasse de plus, Cam ?

Je m'éloigne, comme si je l'ignorais. Il pose sa main sur mon épaule pour que je m'arrête.

– Allez, Cami. J'te l'ai dit, j'suis désolé. Tu sais que si t'étais pas une fille aussi fantastique, jamais j'te considérerais comme ma meilleure amie.

Je le regarde, avec ses grands yeux bruns langoureux et sa mèche de cheveux bien trop longue qui lui couvre presque la moitié du visage. Comment lui résister ? Ses mots mettent instantanément un baume sur mon cœur qui, ces derniers temps, est une véritable plaie ouverte. Il n'y a que lui qui peut me faire ça !

– Je suis vraiment ta meilleure amie ? je répète, comme pour avoir son approbation, mais aussi pour m'assurer que j'ai bien compris ce qu'il a dit.

Il glisse sa main sur mon épaule et me serre doucement contre lui.

– Bien sûr que t'es ma meilleure amie ! T'es la seule fille cool avec laquelle j'me tiens et avec qui j'peux parler de tout et de rien. Et, en plus, ça adonne que ma super meilleure amie est en équipe avec la plus belle fille de l'école ! ajoute-t-il en souriant.

– Ouais... On va dire que ça fait, comme excuse.

Philippe s'arrête et commence à exécuter quelques pas de danse victorieux sur place. Je ne peux m'empêcher de rire. Mais pas de lui, par contre. *Avec* lui. Il s'arrange toujours pour me faire sourire lorsque ça ne va pas.

– Alors, finit-il par me demander après ses singeries, est-ce qu'elle t'a parlé de moi ?

– Tu rêves ! On s'est concentrées sur le travail.

– Il va falloir remédier à la situation. Tu devras lui expliquer que j'suis le gars le plus beau et relax de l'école ! ajoute-t-il, les yeux remplis d'excitation.

– Je sais même pas si elle a conscience de ton existence !

– Ah ! J'suis certain qu'avec toi, c'est juste une question de temps.

– Sacré Philippe !

Deux jours plus tard, je n'ai toujours pas eu de nouvelles de Kim. Le travail est à remettre demain. J'ai donc terminé sans elle. J'ai une excellente moyenne en français et je n'ai pas l'intention que ça change. Surtout avec la fin de l'année qui approche à grands pas. J'ai hésité un petit moment à inscrire son nom sur la copie finale. Après tout, j'étais l'auteure de presque toute cette rédaction. Mais, comme elle avait contribué à l'histoire et à sa structure, je me suis résignée à l'inclure.

Alors que je suis assise sur mon lit, mon cellulaire se met à sonner. Je dois avoir une expression assez surprise en ce moment, parce que c'est justement elle. J'essaie d'adopter le ton le plus nonchalant possible. De toute manière, ce n'est pas comme si j'attendais après elle !

– Salut, Cam, c'est Kim !

Cam ? Tiens, c'est nouveau ! Il n'y a que Philippe qui m'appelle comme ça.

– Ah ! Salut, Kim, dis-je platement.

– Je viendrais chez toi pour terminer le travail. Est-ce que ça te va ? me demande-t-elle.

Je me redresse, estomaquée. Je pensais qu'elle m'appelait pour me donner une excuse bidon afin de ne pas terminer le travail avec moi. Mais on dirait que, finalement, ça lui est revenu à l'esprit. Il est un peu tard, par contre. Et, d'ailleurs, je ne suis pas certaine d'avoir envie qu'elle vienne ici, surtout après ce que je l'ai surprise à faire avec mon frère, l'autre soir. Ça me rend mal à l'aise juste d'y penser. Mais c'est vrai que Nik n'est pas là, occupé par son entraînement de hockey...

– Écoute, Kim, le travail est déjà terminé. J't'ai laissé des courriels, des messages textes et je n'ai jamais eu de nouvelles de ta part... À un moment donné, fallait que ça se fasse.

– Ah, c'est bizarre. T'as pas eu mon message ? Ma mère va pas très bien ces temps-ci, dit-elle sur un ton que je sens plus triste.

– Euh, non, désolée, je réponds en me levant. J'savais pas...

Tout à coup, je sens une honte de tous les diables monter en moi. Je suis là, à lui faire des reproches mal déguisés et, pendant ce temps, sa mère souffre. Pourtant, je consulte mes courriels et mes messages textes régulièrement. Je suis certaine de ne rien avoir manqué.

– C'est pas grave, on s'en reparlera, si tu veux. Alors, c'est bon, j'peux venir ?

– Oui, oui ! On révisera ensemble c'que j'ai fait et on fera des modifications, au besoin.

Après que je lui ai donné mon adresse, Kim m'informe qu'elle sera là dans une trentaine de minutes, le temps de s'assurer que sa mère va bien et de prendre le prochain bus. Ça me donne le temps d'aller avertir la mienne que j'aurai de la visite.

Au rez-de-chaussée, je trouve ma mère assise à la table de cuisine en train de résoudre un sudoku.

– Maman ? J'ai une amie qui va venir me rejoindre. Est-ce que c'est correct ?

Elle relève la tête et me regarde avec des yeux complètement surexcités.

– Bien sûr que c'est correct, quelle question ! Elle s'appelle comment ?

– Kim. On fait un travail ensemble.

– Parfait ! Tant qu'à y être, elle pourrait rester pour le souper. J'ai plein de restes et ton père ne rentrera sûrement pas de sitôt, alors...

– Euh... On verra.

– J'insiste !

– Maman ! Y a pas de quoi faire toute une histoire. Elle restera si ça lui tente, OK ?

– C'est vrai, tu as raison. Mais c'est quand même la première fois qu'une de tes amies vient à la maison, donc je suis contente !

– Fais-moi pas honte, c'est tout c'que j'te demande.

– Promis ! conclut ma mère, enjouée.

Trente minutes tapantes plus tard, on sonne à la porte. J'ouvre à une Kim souriante. Encore une fois, j'adore la manière dont elle est habillée. Elle est vêtue d'une minijupe en jeans agencée avec une camisole à bretelles spaghetti ornée de dentelle rose pâle. Par-dessus, elle porte une veste de cuir brun. L'ensemble lui donne un air que je trouve vraiment *hot*. Elle a l'air d'une star de cinéma tout droit sortie d'une revue.

Ma mère arrive pendant que je la fais entrer. La gaieté qui illuminait son visage disparaît rapidement pour laisser place à des sourcils froncés. Bon. Ça commence déjà !

– Bonjour, madame Samson ! lui dit Kim, avec entrain.

Ma mère ne répond rien, comme si elle avait tout à coup perdu l'usage de sa langue. Je voudrais dire qu'elle est aussi ébahie que moi par le magnétisme de la belle Kim, mais elle a plutôt l'air de vaciller entre le mécontentement et l'écœurement. Bref, elle me fait honte. Exactement le contraire de ce que je lui ai demandé ! Après avoir été interpellée, elle se déride finalement. Elle salue rapidement Kim et nous nous rendons à ma chambre.

– Il est où, ton ordi ? m'interroge Kim.

– J'en ai pas à moi... Mais y en a un dans le salon. De toute façon, j'ai une copie imprimée du travail. Je ferai les corrections en soirée si y en a.

– T'as pas d'ordi dans ta chambre ? lance-t-elle comme si c'était la chose la plus improbable du monde. C'est poche.

Je commence à jouer avec mes doigts, embarrassée, parce que je pense exactement la même chose qu'elle.

– En tout cas, c'est pas grave ! ajoute-t-elle en voyant mon air dépité. On peut faire sans.

– C'est ma fête samedi. J'en ai demandé un à ma marraine, j'ajoute prestement pour rectifier le tir et ne pas avoir l'air complètement hors du coup. Elle est vraiment cool ! C'est certain qu'elle va me donner c'que j'veux !

Mon commentaire vient de tomber dans le vide. Kim a l'air de s'en foutre pas mal. Je dis ça parce qu'elle s'est écrasée sur mon lit, jambes croisées, et pitonne sur son téléphone. Je m'installe à mon bureau, mal à l'aise. Je ne dis rien, de peur de la déranger dans une discussion avec un de ses nombreux prétendants. Quelques minutes plus tard, elle reporte son attention sur moi.

– Alors, qu'est-ce que t'as fait de bon pour notre travail ?

Je lui tends les deux feuilles.

– Tiens, lis-le. Tu me diras c'que t'en penses.

Elle me les prend des mains et se met à lire en rongeant ses faux ongles. À peine quelques secondes plus tard, elle me redonne les feuilles.

– C'est parfait, ça !

– OK... T'as rien à ajouter ?

– Non. En tout cas, c'est *cute* dans ta chambre, dit-elle en changeant de sujet.

– Merci...

Mon merci est un peu gêné. Je suis consciente que, pour certains, ma chambre pourrait avoir l'air un peu quétaine. Elle est encore peinte en rose et il y a des posters de One Direction et de Big Time Rush installés partout. Mais ça n'a pas l'air de trop la déranger.

– Anouck aimerait ça. C'est ma meilleure amie. Tu l'as sûrement déjà vue. Elle est dans notre cours de français, mais elle a été absente quelques semaines parce qu'elle s'est cassé le tibia. J'suis certaine qu'elle t'aimerait. J'vais te la présenter. On se connaît depuis qu'on est petites. On a grandi à quelques maisons l'une de l'autre. Puis j'vais avoir besoin de quelqu'un pour m'aider à porter ses livres parce qu'elle est encore en béquilles. Elle revient lundi.

Je sais qui est Anouck. D'ailleurs, je me demandais pourquoi elle s'était carrément volatilisée depuis un certain temps. J'ai ma réponse.

Pendant qu'elle se lève pour fouiller dans ma garde-robe, j'ai la douce impression que Kim veut m'inclure dans son fabuleux cercle d'amis. *Son* fabuleux monde. En tout cas, je pense. Sinon, pourquoi est-ce qu'elle voudrait me présenter à sa meilleure amie ?

– T'as vraiment besoin de t'acheter de nouvelles fringues. Ça fait pitié, c'que t'as !

– Je sais. J'vais le faire bientôt.

Je me surprends à penser que je la trouve bête. Elle émet toujours un commentaire désagréable, mais elle le fait avec un joli sourire sur le visage. Je ne sais pas si, pour les autres, ça excuse ses méchancetés, mais, avec moi, ça ne fonctionne pas du tout. En tout cas, je vais bientôt lui clouer le bec, parce qu'avec l'argent que je vais recevoir en cadeau pour mon anniversaire, je vais m'acheter une tonne de vêtements à la mode. Elle doit lire dans mes pensées, parce qu'elle me propose d'aller magasiner un de ces quatre. Elle m'explique qu'elle a vraiment l'œil pour relooker les gens. J'accepte sur-le-champ en essayant de ne pas avoir l'air trop heureuse de sa proposition. L'idée que nous nous tenions ensemble germe *vraiment* dans sa tête ! Je n'arrive pas à croire qu'elle considère faire ça avec moi ! Si on m'avait dit hier que je passerais d'aucune amie à faire partie du cercle de fréquentations de Kim Blainville, je ne l'aurais jamais cru !

Je ne voudrais pas pousser les choses trop loin et risquer de tout gâcher, mais je tente quand même le coup.

– Est-ce que ça te tenterait de venir à mon party d'anniversaire, samedi ? C'est vers quatorze heures.

– Quatorze heures ? C'est pas un peu tôt ? me demande-t-elle en me dévisageant comme si je lui avais dit que je regardais encore les *Télétubbies*.

– Euh... Ben, c'est l'heure à laquelle l'a prévu ma mère, vu que ma famille va être là...

– OK, ouais, cool, j'vais être là.

Intérieurement, je saute de joie, mais, comme une pro, je ne laisse rien transparaître. Puis je remarque que Kim m'observe intensément. Elle s'avance vers moi et prend un ton sérieux.

– En passant, pour ce qui est arrivé à la fête de Christian, avec ton frère... J'aimerais ça que tu le gardes pour toi. J'ai pas envie que tout le monde le sache.

Je me raidis soudainement, mais il fallait bien qu'on en arrive à ça tôt ou tard. En plus, si elle vient à ma fête, Nikolas sera présent. Je dois donc passer par-dessus. Tout à coup, je suis tellement embarrassée que je ne sais pas quoi dire. Elle reprend la parole.

– Ça me gêne pas de le revoir, si c'est c'que tu te demandes. J'suis capable de faire comme si de rien n'était. J'veux juste savoir si t'es capable de faire pareil. J'veux pas que ça s'ébruite, tu comprends ?

Avec qui est-ce que je pourrais bien en parler ?! C'est pas le genre de sujet sur lequel j'aurais envie de m'étendre en long et en large.

– Ton secret est sauf avec moi. J'en parlerai à personne. De toute manière, on s'en fout ! C'que tu fais avec ta bouche, y a que toi que ça regarde !

Elle me fixe en se demandant de toute évidence si je la niaise. Ouais, j'en ai peut-être trop mis. La nervosité et moi, on ne fait vraiment pas bon ménage.

– J'aime pas trop faire ça, tu sais, se justifie-t-elle. Mais, des fois, faut savoir plaire aux gars si on veut se faire gâter, ajoute-t-elle en se rasseyant sur mon lit. Tu dois savoir de quoi j'parle ?

Pour toute réponse, j'ai le feu qui me monte aux joues. Elle l'ignore et passe directement à un autre sujet, même si je ne suis pas certaine de bien comprendre ce qu'elle a voulu dire par là.

Kim et moi passons le reste du temps à discuter de choses et d'autres. Elle me parle de sa famille et d'Anouck, que j'ai maintenant l'impression de connaître comme si nous avions toujours été amies. Mais elle parle surtout de garçons. Ça paraît qu'elle a quand même de l'expérience ou, en tout cas, qu'elle sait de quoi elle parle.

Lorsque l'heure du souper arrive, elle décide de ne pas rester. Elle préfère rentrer pour veiller sur sa mère. Tout juste avant de passer la porte, elle dit à la mienne :

– En tout cas, madame Samson, vous devriez être fière de votre fille, elle est vraiment une super amie.

Ma mère se retourne vers moi et me sourit tendrement.

– Je n'en doute pas ! Passe une belle soirée.

– Merci, madame ! À samedi, Cam ! dit-elle à mon intention avant de s'éloigner.

Quand ma mère referme la porte, je fais un tour sur moi-même. Elle m'a appelée son amie ! La fille la plus cool de l'école me considère comme son amie ! C'est surréaliste ! Une sensation inconnue monte le long de ma nuque alors que je m'imagine en train de parader aux côtés de Kim et d'Anouck, au ralenti, le vent dans les cheveux. Je rêve peut-être un peu, mais... Aaaaah ! Je donnerais n'importe quoi pour que cette vision se réalise !

À table, je flotte sur un nuage. Je pense à toutes les choses que je vais faire avec Kim et Anouck. Je suis persuadée que le simple fait de faire partie de l'entourage de ces deux filles-là va me rendre la vie beaucoup plus palpitante. Peut-être que je vais finalement me faire un copain ? Oh ! Ce serait tellement cool ! Kim se tient avec des gars tellement beaux ! Mes rêves de doux baisers, de tendres caresses trois X, d'embrassades à pleine bouche, de discussions infinies et de main dans la main seront enfin réalité !

Ma mère brise soudainement le silence de nos bouches mastiquant avec appétit les côtelettes de porc qu'elle a préparées. Elle se racle d'abord la gorge et dit :

– Elle est jolie, cette Kim.

Nik, de retour de son entraînement, relève la tête.

– Kim ? Kim Blainville était ici ?

– Oui ! je réponds, fièrement.

– Pour me voir ? Qu'est-ce que vous lui avez dit ?

– Pfff. Elle t'a même pas mentionné. Elle est venue pour moi !

– Hein ? ajoute Samuel, comme si je venais de dire la chose la plus ridicule au monde.

– Peu importe, continue ma mère. Je n'ai pas l'impression qu'elle serait une super amie pour toi, poussin.

– C'est quoi, le rapport ? Pourquoi tu dis ça !? je m'offusque, le cœur battant comme si je voulais protéger un truc qui m'était précieux.

Ma mère soupire et me regarde droit dans les yeux en prenant ma main.

– Disons simplement qu'elle... Vous semblez tellement différentes.

– Et ? je continue en retirant ma main de la sienne.

– Je ne suis pas certaine qu'elle soit une bonne influence pour toi.

– Ça, c'est pas un mensonge, dit Samuel en donnant du coude à Nikolas en riant.

Je lance un regard furieux à Samuel, puis reporte mon attention sur ma mère.

– Tu peux pas dire ça, tu la connais même pas !

– Non, on n'a pas besoin d'essayer de la connaître, ses vêtements révèlent déjà tout ce qu'il y a à savoir, marmonne ma mère.

Mes frères recommencent leurs ricanements immatures.

– C'est la mode ! C'est super beau, c'qu'elle porte !

– Ouais ! renchérit Nikolas.

– Je préférerais que tu ne la fréquentes pas, ajoute ma mère.

– Mais c'est la seule amie que j'ai, tu peux pas décider à ma place ! S'il était là, j'suis certaine que papa te dirait que c'est n'importe quoi, c'que t'es en train de raconter !

– Laisse ton père en dehors de ça, affirme-t-elle sévèrement. À ce que je sache, il n'est pas ici, donc tu devrais suivre mon conseil et...

– Non, pas question ! Kim est mon amie et elle viendra à ma fête samedi, que ça te plaise ou non !

À ces mots, je me lève de table et fonce vers ma chambre malgré les protestations de ma mère, qui me demande de revenir m'asseoir. C'est la première fois de toute ma vie que je fais quelque chose dans le genre, mais Kim est la seule amie que j'ai depuis bien trop longtemps. Elle va changer ma vie, je le sens.

Je n'ai pas l'intention de la perdre.

- 3 -

De nouveaux apprentissages

Je dévale les marches à une vitesse folle.

– Maman ! Maman !

Je cours frénétiquement dans toute la maison à la recherche de ma mère, mais je ne la trouve nulle part. Pourtant, on vient tout juste de rentrer à la maison, et elle est venue me chercher à l'école. Où est-ce qu'elle a bien pu se volatiliser ? Elle apparaît finalement en haut des marches menant au sous-sol.

– Mais qu'est-ce qui se passe, Camille ?

– Maman ! Là, faut vraiment que tu m'écoutes attentivement, OK ? Je demande jamais grand-chose, j'suis une enfant modèle et, en plus, j'suis super méga bonne à l'école.

– Bon, qu'est-ce que tu veux me demander, cette fois ? s'informe-t-elle en croisant ses bras contre sa poitrine, un léger sourire accroché aux lèvres.

Je prends une grande inspiration en souhaitant de tout cœur qu'elle me dise oui. Ce qui est en train de se produire est trop important ! J'espère qu'elle va s'en rendre compte !

– Je viens de recevoir un message texte de Kim. Elle veut que j'aille la rejoindre chez elle pour qu'on aille chez une de ses amies, Anouck ! Tu te rends compte ?

Le sourire de ma mère s'estompe et elle pousse un soupir.

– D'ailleurs, on n'est pas revenues sur ce qui s'est passé hier, Camille. Je n'ai pas apprécié que tu te sauves de table comme ça.

– Je sais, maman, et je m'excuse. Change pas de sujet, OK ? Tu comprends pas ! C'est un événement à ne pas manquer dans ma vie, crois-moi ! Qui sait si j'aurai encore une chance de finalement être comme tout le monde ?

– Pourquoi tu voudrais être comme tout le monde, poussin ? me questionne-t-elle en fronçant les sourcils, les yeux pleins d'incompréhension.

– Parce que j'en ai marre d'être toute seule à l'école, maman !

J'ai quasiment crié en disant ça. Mes yeux se sont remplis d'eau, aussi. Pas parce que je voulais ajouter un effet dramatique à ma demande, mais plus parce que ce statut commence vraiment à me ronger de l'intérieur. Je n'en peux plus. Je ne veux plus de cette vie. Kim, c'est ma chance d'accéder à la vie que j'ai toujours voulue et enfin d'être une fille normale comme toutes celles de mon âge. Je le sens et je ne voudrais pas manquer cette occasion parce que ma mère trouve qu'elle ne s'habille pas à son goût.

Les épaules de ma mère se relâchent et elle tend les bras vers moi. Je m'y réfugie, heureuse qu'elle ait perçu mon trouble. Maman a toujours su parfaitement lire en moi.

– Oh, poussin, dit-elle en posant un baiser sur ma chevelure. Je ne m'étais pas rendu compte que c'était si important pour toi. Je ne pensais pas que ça te pesait autant. Excuse-moi, j'aurais dû t'écouter et voir de quoi il s'agissait.

Elle me serre plus fort dans ses bras et je ferme les yeux. Ça me fait du bien de partager ça avec elle. Une personne autre que Philippe est maintenant au courant de ce qui se passe dans ma vie.

– Termine d'abord tes devoirs, je te fais un petit souper rapide et je t'amène au moins chez Kim. Ça me rassurera de rencontrer ses parents.

– Merci, merci, merci !!

Après l'avoir serrée dans mes bras une dernière fois, je monte à l'étage pour faire mes devoirs en quatrième vitesse. Je me garde bien, en sortant de ma chambre, de montrer trop d'excitation. Je ne voudrais pas que mes nigauds de frères se rendent compte de quelque chose et gâchent ma soirée en me narguant inutilement. Ce soir, c'est moi la plus cool des enfants Samson !

En arrivant à la somptueuse maison de Kim, nous sommes chaleureusement accueillies par sa mère. Je m'attendais à ce qu'elle ait l'air faible et fatigué, mais une femme très élégante et énergique se tient devant nous. Elle ne ressemble pas du tout à quelqu'un qui a été malade le jour d'avant. Ça me chicote, mais je ne dis rien. De toute manière, en ce moment, c'est le dernier de mes soucis.

D'emblée, ma mère et celle de Kim semblent bien s'entendre. Tant mieux, car j'espère vraiment qu'elles seront amenées à se voir de plus en plus souvent grâce à l'amitié entre Kim et moi, qui ne fera que grandir.

Lorsque, finalement rassurée, ma mère nous quitte, Kim et moi nous dirigeons chez Anouck, à un coin de rue de là. Pendant notre courte marche, Kim me fait clairement savoir qu'elle n'a pas l'habitude de laisser des gens entrer dans sa bulle d'amitié, qu'elle préserve à tout prix. Des amis, elle en a une pelletée, mais ses amis proches, elle les compte sur les doigts d'une seule main. Un long frisson me parcourt. Tout à coup, je me sens privilégiée de pouvoir faire partie de son univers. Je comprends de plus en plus pourquoi Philippe est amoureux d'elle, même s'il ne connaît pas ce côté de sa personnalité. Lorsqu'il va le découvrir, il va capoter, et il va sûrement me rebattre les oreilles du fait qu'il avait raison et qu'elle est tout simplement divine !

En arrivant, Kim entre chez Anouck sans même sonner. Phil fait pareil chez moi. Elle se fait saluer au passage par le père d'Anouck comme si de rien n'était, et elle me présente. Il me dit qu'il est enchanté de faire ma connaissance et nous sortons du salon pour nous rendre aux portes vitrées de la chambre d'Anouck. Je suis vraiment étonnée par la pièce, qui est cent fois plus grande que ma chambre.

Anouck est installée sur son lit, un oreiller sous le pied. Kim se rue vers elle pour lui coller un énorme bec sonore sur la joue. Quand elles se défont de leur étreinte, Kim s'écrie :

– Anouck, j'te présente Camille ! Camille, Anouck !

Je jurerais que j'ai lu sur le visage d'Anouck de la déception. Comme si elle se disait : « Quoi, c'est *ça*, ta nouvelle amie ? C'est une blague, pas vrai ? » Me maudissant d'avoir cette allure, je baisse la tête. Pourquoi est-ce que je ne peux pas faire comme tout le monde et prendre le temps de m'habiller un peu mieux et de me coiffer ? Dans tout ce luxe, j'ai probablement l'air d'une tache.

– Ben, reste pas là, Cam ! Approche-toi ! Elle mord pas, d'habitude ! plaisante Kim.

Je relève la tête et mon regard tombe dans celui d'Anouck. Elle m'adresse un sourire radieux qui me fait vite changer d'attitude. Son air est invitant. J'arrive au bord du lit et lui serre la main de manière un peu trop formelle à mon goût.

– Contente de te rencontrer, Camille ! C'est cool ! On va pouvoir être les trois mousquetaires !

– *Oh ! My ! God !* s'écrie Kim, tout excitée. T'as tellement raison !

Les deux filles se mettent à rire. Je les imite. Je sens que j'en ai le droit, parce que je fais partie des trois mousquetaires. J'adore cette idée ! Trois amies, unies envers et contre tous, je trouve que ça sonne extrêmement bien !

Nous nous installons toutes sur le lit afin de faire plus ample connaissance. Au début, je ne parle pas beaucoup, de peur d'être de trop, mais, très rapidement, Anouck m'inclut dans la conversation en me posant des tonnes de questions. Elle est vraiment curieuse, dis donc ! En tout cas, je pense pas que ce soit déplacé... C'est pas comme si j'avais l'habitude qu'on s'intéresse à moi. Je dois dire que je trouve ça assez rafraîchissant !

Vite, Kim prend le dessus de la discussion.

– Comment tu fais quand tu veux faire des trucs perso, sur le Net, comme t'as pas d'ordi dans ta chambre ? s'informe-t-elle.

Des trucs perso ? Où est-ce qu'elle veut en venir ?

– Rien de ce genre-là, je réponds comme si je savais de quoi elle parle. Je visite surtout TMZ et Vevo.

– Pfff ! Y a tellement plus intéressant à faire sur Internet que d'niaiser sur des sites de potins ! lance-t-elle en me regardant, l'air dégoûté par ma vie virtuelle de *loser*.

Cette fois-ci, je sens carrément les points d'interrogation apparaître dans mes yeux. Internet, c'est bien le fun et intéressant, mais, en même temps, ce n'est pas comme s'il y avait un million de choses à faire là-dessus. Je suis déjà allée voir Google Street View des millions de fois, YouTube des milliards, et j'ai regardé les photos du monde de ma classe des billions de fois sur Facebook et Instagram, peut-être même plus. À part ça, qu'est-ce que je peux bien y faire ? Kim me regarde avec un rictus coquin au coin des lèvres.

– T'as déjà eu un chum, Cam ?

Tout de suite, je deviens aussi rouge qu'un derrière de babouin. C'est quoi, le lien entre les garçons et Internet ? Anouck intervient alors :

– T'es pas obligée de répondre si ça te gêne, Camille.

– Non, j'veux savoir ! insiste Kim.

Je suis mise sous les projecteurs et je ne suis pas certaine que j'aime cette sensation. Pas avec ce genre de question, en tout cas. Je n'y suis pas habituée. Par contre, Kim me fixe avec tellement d'entêtement que je ne veux pas que mon silence réponde à sa question. Je préfère donc babiller un faible « non », plutôt que d'avoir l'air encore plus stupide.

– T'as jamais embrassé un gars non plus, j'imagine ? Ou une fille, j'connais pas tes préférences...

– Kim ! s'indigne Anouck. T'exagères pas un peu ?

– Non, non, c'est correct, j'interromps Anouck, même si je n'aime pas du tout la tournure que prend cette conversation. Non. Jamais embrassé un gars. Et je suis complètement hétéro !

– *Shut up !* Wow ! OK ! T'es vraiment en retard, ma vieille ! C'est décidé, reprend-elle avec détermination. Il va falloir remédier à la situation ! J'vais t'aider ! Ou, plutôt, ON va t'aider. Pas vrai, Anouck ?

– Si tu veux bien, précise cette dernière. On te forcera pas à faire des trucs dont t'as pas envie.

Un sourire se pose alors sur mes lèvres. Je suis à la fois enchantée et excitée par cette idée. En plus d'avoir de super copines, je vais enfin, comme tout le monde, avoir mes premières expériences avec les gars ? Pincez-moi quelqu'un, je rêve !

– OK, laisse-moi t'expliquer comment ça marche. C'est sûr qu'y a toujours les gars de l'école sur qui on peut se rabattre, poursuit Kim comme une experte en la matière. Par contre, on trouve pas toujours chaussure à son pied. Ils peuvent tellement être immatures et stupides des fois ! C'est pour ça que j'discute avec des gars sur des *tchat*.

– Euh... J'pensais que MSN existait plus ? je me hasarde, perdue.

Les deux filles se mettent à rire.

– Ben non, Camille. On le sait, ça. J'te parle plutôt de sites comme Twiig ou Pouchons. Tu connais ?

Au risque d'avoir l'air stupide, je hausse les épaules. Je n'ai aucune idée de quoi elles parlent. Kim se lève et se rend à l'ordinateur d'Anouck pour aller sur Internet. Elle tape rapidement l'adresse d'un des sites qu'elle vient de me mentionner. Comme une experte qui a fait les mêmes gestes au moins une centaine de fois, elle entre son nom d'utilisateur, son mot de passe et clique ensuite sur l'onglet *tchat* du site Twiig. Quelques secondes seulement après qu'elle s'est connectée, près d'une demi-douzaine de fenêtres de discussion apparaissent à l'écran. Intriguée, je m'avance afin de mieux apprécier ce qui se passe.

Kim clique sur une des fenêtres et sélectionne le nom d'utilisateur. Une nouvelle page s'ouvre sur le profil d'un homme.

– Tu vois ? Ces gars essaient tous d'entrer en contact avec moi. Par exemple, lui, il a vingt-trois ans, mais il est vraiment affreux, donc pas question que je parle avec lui !

Elle ferme la fenêtre en riant. Je l'imite, même si je trouve qu'elle est plutôt dure. Je le trouvais quand même mignon, moi, mais je me garde de passer le commentaire. Elle me montre les photos des autres gars qui tentent de discuter avec elle. Si certains sont de vieux moches loin d'être attirants, certains sont vraiment canon. Le genre de canon qu'on ne voit pas à l'école et dont on rêve seulement.

Kim m'explique ensuite qu'elle a déjà fait quelques rencontres grâce à ce site. Selon elle, c'est vraiment facile et agréable. Ça m'étonne. Comment a-t-elle réussi à le faire sans que ses parents le sachent ? Je lui pose la question et elle me répond, presque offusquée par l'imbécillité de mon interrogation :

– J'mens, qu'est-ce que tu penses ? Anouck est toujours ma couverture. Comme ça, en même temps, quelqu'un sait où je suis.

Je vois... Est-ce que j'aurais le courage de le faire, moi ? De mentir à mes parents, si l'occasion de rencontrer un gars se présentait ? En tout cas, il faudrait vraiment qu'il soit spécial pour que je le fasse.

Kim continue de me montrer quelques fonctionnalités du site avant de me demander :

– Ça te tenterait de t'inscrire ?

– Euh... J'sais pas...

– Allez, fais pas ton bébé, c'est pas la fin du monde !

– J'fais pas mon bébé, c'est juste que...

– C'est juste que quoi ? Ça te tente pas de discuter avec des super beaux gars et de peut-être te faire un chum ?

Dit comme ça, c'est sûr que ça ne se refuse pas. Je me tourne vers Anouck, comme pour avoir son avis. Elle me sourit et me dit qu'elle a déjà eu un profil par le passé, mais qu'elle l'a effacé après avoir rencontré Sébastien, son copain. Je réfléchis rapidement : l'idée de discuter avec des gens que je ne connais pas et dans le confort de ma chambre, en plus, pourrait vraiment être géniale. Puis... au pire, si je n'aime pas ça, je n'aurai qu'à supprimer mon profil et ce sera de l'histoire ancienne.

– OK ! Comment on fait ?

– Cool ! lance Kim en me serrant contre son flanc gauche. Ouh ! s'exclame-t-elle, enfiévrée. Tu vas voir, ça va être tellement l'fun !

Je suis étonnée par cette marque d'affection de sa part, mais, en même temps, très contente. Une chance que j'ai dit oui ! Sinon, elle aurait très bien pu décider que, finalement, je ne méritais pas de faire partie des trois mousquetaires. Je viens tout juste d'avoir cette chance. Pas question que je gâche tout parce que je fais mon bébé !

Je me demande pourquoi je n'ai jamais pensé à visiter ce genre de sites auparavant. Après tout, sur Twiig, il faut avoir treize ans pour s'inscrire. Dans ma tête, il fallait en avoir au moins dix-huit. Mais, maintenant que j'y pense, c'est vrai qu'à treize ans on est bien assez mature pour commencer à discuter et à sortir avec des garçons !

Wow ! Me voilà avec un profil sur Twiig et Pouchons.

Je viens de franchir tout un pas !

J'ouvre doucement la porte de ma chambre. Je ne veux réveiller personne. Il est déjà passé minuit. Il peut arriver à mes frères de se réveiller dans la nuit pour aller grignoter, donc je suis prudente. Je regarde à gauche et à droite dans le couloir.

La voie est libre.

Je sais très bien qu'à cette heure je devrais être en train de dormir, car j'ai de l'école demain, mais je suis trop excitée par la découverte que j'ai faite plus tôt chez Anouck. Les sites de rencontre, c'est vraiment débile ! Kim avait raison ! Encore une fois, je me félicite de l'avoir écoutée. Dès que mon profil a été créé, les filles m'ont laissé l'ordi pour le reste de la soirée. Ça m'a permis de découvrir les sites et leurs fonctions, et j'en ai profité pour poser un max de questions à Kim.

J'ai aussi pris le temps de remplir ma fiche, où on me demandait des infos comme mon âge, mon sexe, ma ville de résidence et le but de ma présence sur le site (amitié, amour, rencontre ou sexe). Kim m'a proposé de sélectionner tous les choix de réponse. De cette manière, ça me donnera plus de liberté et il y aura plus de personnes qui seront attirées par ma fiche. Ensuite, on m'a demandé de rédiger un petit texte pour me présenter. J'ai particulièrement aimé cette étape du processus, parce que j'adore écrire. Comme je ne voulais pas dire n'importe quoi, mais bien donner aux gens le goût d'entrer en contact avec moi, j'ai pris le temps de réfléchir. Il fallait absolument que ce soit attrayant, mais simple. J'ai donc écrit ceci :

> *Salut, je m'appelle Camille. Je suis une fille super sociable et ouverte d'esprit. Viens me jaser, tu ne le regretteras pas ! Bye !*

Je trouvais que cette description était parfaite. Elle en disait juste assez pour qu'on ait envie de me connaître, mais elle laissait place au mystère. Lorsque j'ai eu terminé de la rédiger, je me suis trouvée vraiment géniale !

En fait, je dois avouer que ce que je dis là-dedans n'est pas tout à fait exact. Je suis loin d'être une personne sociable... Je suis plutôt du genre qui, en groupe, parlera seulement si elle y est expressément obligée. Mais ça, personne ne le sait et personne n'a à le savoir. Je me rends compte que, derrière mon écran, je peux dire ce que je veux, être celle que je veux, et il n'y aura personne pour me traiter de menteuse. Je trouve ça vraiment excitant comme situation ! Qui sait où tout ça pourrait me mener ?

Même si je n'ai pas encore de photos, plus tôt, tout au long de la soirée, beaucoup de personnes ont tenté d'entrer en contact avec moi. Je me suis sentie un peu bouleversée par toute cette attention soudaine, mais dans le bon sens. J'avais les mains moites en voyant toutes les fenêtres apparaître comme par magie et je suis certaine que j'avais les yeux qui brillaient comme des milliers d'étoiles. Ce n'était pas grand-chose, juste des discussions normales, mais c'était déjà bien plus que ce que j'avais eu dans toute ma vie.

Tout à coup, tout le monde voulait connaître un petit bout de moi.

Tout à coup, je me sentais comme une fille hors du commun.

Maintenant assise devant l'ordinateur, je me dis que ça doit être de cette manière que Kim se sent tous les jours, c'est sûr.

Je l'envie encore plus, maintenant que j'ai goûté un peu à ce que c'est.

Je n'ai jamais rien vécu de tel et je dois dire que, ce soir, j'en prendrais encore un peu.

Juste un peu, avant d'aller dormir. Juste pour que je fasse de beaux rêves. Une heure et, ensuite, je retourne me coucher.

Libérateur.

Après trois ans au secondaire à errer comme un fantôme, j'ai finalement l'impression d'exister. Et ce n'est que le début.

Ce n'est vraiment pas comme dans la *vraie* vie. Et je dois dire que je préfère cette vie-là.

- 4 -

Mise en pratique des acquis

– Un miniportable !!!

Je saute dans les airs de droite à gauche, me moquant bien de ce que les invités peuvent penser. C'est samedi, jour de mon anniversaire, et j'ai reçu un ordinateur portable ! Tout ce que j'espérais ! Je vais enfin avoir la paix et faire ce que je veux ! Surtout *tchater*. Depuis mercredi dernier, lorsque j'ai découvert ces sites avec Kim et Anouck, je ne peux tout simplement plus m'en passer : je suis complètement accro !

Je sautille encore dans la maison en me disant que j'aurai maintenant tout le loisir de poursuivre mon exploration de ces sites et d'engager des discussions plus longues. Jusqu'à maintenant, les seuls moments où j'ai pu m'y adonner ont été les soirs, en cachette, pendant que tout le monde dormait. C'était loin d'être l'idéal ! En plus, j'ai bien failli me faire prendre par maman, qui était descendue car elle avait entendu du bruit. Je lui ai fait avaler que j'avais oublié d'imprimer quelque chose pour l'école et elle m'a crue. Une chance ! En tout cas, grâce à ma marraine, toutes ces niaiseries sont derrière moi, maintenant. Je la prends d'ailleurs dans mes bras et l'embrasse au moins une centaine de fois sur chacune de ses joues en m'assurant de n'oublier aucun centimètre. Elle ne sait littéralement pas ce qu'elle vient de faire pour moi !

Anouck et Kim me regardent avec un large sourire sur les lèvres. Elles ont l'air de partager ma joie. Je les invite à se rendre dans ma chambre pour que nous puissions tester ma nouvelle machine. De toute manière, depuis l'ouverture des cadeaux, personne ne me porte plus vraiment attention.

– C'est cool, commence Kim dès que la porte est fermée. Enfin t'as ton propre ordi !

– Je sais ! J'suis tellement contente ! J'arrive pas à y croire !

Assise en tailleur sur le sol, j'ouvre la boîte pour en sortir la petite merveille de marque HP. Je suis aux anges ! Je la configure et, une quinzaine de minutes plus tard, après quelques mises à jour, le bureau apparaît. Je m'apprête à en faire la découverte quand Kim s'installe en face de moi.

– J'vais aller voir mes messages ! annonce-t-elle en tournant mon ordinateur vers elle.

Je ne dis rien, mais, pour être honnête, je n'aime pas trop la voir jouer avec ma nouvelle bébelle avant moi. Par contre, je n'ai pas envie de le lui mentionner, de peur qu'elle me trouve bébé. Je la laisse donc faire en songeant qu'après tout, lorsque tout le monde sera parti, je l'aurai pour moi toute seule.

Pendant que Kim prend ses messages tout en discutant avec Anouck, je reçois un texto. C'est Philippe. Il était invité à la fête, mais il n'a pas pu venir à cause d'une urgence familiale. Un de ses grands-oncles est décédé et il devait se rendre aux funérailles à l'extérieur de la ville. Il m'a par contre assurée qu'il m'offrirait mon cadeau la prochaine fois qu'on se rendrait au *skatepark*. Il est bien mieux !

> *Philippe – 15 h 57*
> *C'est à mourir, ces funérailles ! OK, mauvais jeu de mots. ☺ Mais, sérieusement, je le connaissais même pas ! En tout cas... Comment va la plantation de mines ?* 😛

Je souris en lisant son message. En fait, ce qui l'intéresse vraiment, c'est de savoir si j'ai glissé son nom dans la conversation, de temps à autre, pour éveiller Kim à son existence. Je me rends compte que je n'ai pas fait ce que je lui avais promis. Mais il faut dire que, cet après-midi, tout tourne autour de moi, chose qui n'arrive pas très souvent, alors j'ai envie d'en profiter. Puis, il y aura bien d'autres moments pour parler de lui...

– Camille, y a pas de photo de toi sur ton profil Twiig ! m'interpelle Kim, étonnée, tout en me tirant de ma réflexion. Viens, j'vais en prendre une jolie. Tu vas voir, j'suis super bonne là-dedans !

Je me lève aussitôt en laissant mon téléphone de côté. Je répondrai plus tard à Philippe en lui disant que... Que ça n'a pas adonné, tiens. Il devrait comprendre, car, après tout, c'est quand même mon anniversaire. Me pliant à la demande de Kim, je choisis de me placer devant une portion de mur vide. Ne sachant pas trop quoi faire, je pose maladroitement une main sur ma hanche en esquissant un sourire hésitant.

– Euh, non ! Ça va pas du tout ! dit Kim. T'as l'air vraiment trop innocente !

Anouck se lève en clopinant pour se placer à côté de cette dernière. Elle a encore un peu mal à sa jambe, donc elle essaie de ne pas mettre trop de poids dessus. Elle pose une main sur son menton en plissant les yeux et m'observe avec attention.

– Hum... Enlève donc tes lunettes... (Je m'exécute.) Et détache tes cheveux aussi, finit-elle.

– T'es sûre ? je l'interroge, perplexe, tout en faisant ce qu'elle me demande. Ils sont vraiment tout grichous en ce moment...

– Oui, oui, fais-moi confiance, ça fait un genre... Pis t'as vraiment des beaux yeux verts, mais ils sont cachés par tes lunettes.

Je suis flattée par son commentaire. Kim fouille dans son sac et, sans même me demander mon avis, applique sur mes lèvres un rouge d'une couleur criarde. Après quoi elle passe une main dans mes cheveux pour tenter de leur donner une forme. Elle lisse mes sourcils en mouillant son doigt de salive. Je proteste, écœurée, mais elle m'ordonne d'arrêter de gigoter dans tous les sens.

– Regarde-toi dans le miroir, ma fille. C'est pas grand-chose, mais, déjà, c'est mieux.

En me rendant devant celui-ci, je me rends compte qu'elle n'a pas tort. Ces quelques améliorations font vraiment une différence. J'ai une tout autre allure. Avoir su que ces simples gestes me changeraient aussi radicalement, je me serais appliquée un peu plus. C'est seulement maintenant que je comprends ce que mes frères et Philippe voulaient dire. Ouais... Mais c'était quand même pas nécessaire de me le faire savoir si méchamment ! En tout cas, le reflet que me renvoie le miroir m'est familier. C'est bien moi, mais version 1.5. Je me demande de quoi la version 2.0 aura l'air une fois que je me serai acheté les nouveaux vêtements tant convoités ! Puis, je suis certaine que Kim et Anouck seront ravies de m'apprendre quelques trucs beauté.

Gonflée à bloc par cette nouvelle image de moi-même, je me retourne vers Kim et l'objectif de son téléphone. Tout à coup, je me sens cool. Fini la petite Camille qui n'a aucune amie, aucune prestance. Maintenant, je dois adopter une nouvelle mine. Je secoue mes cheveux et rejette légèrement la tête par en arrière, presque confiante. C'est fou ce que quelques petites améliorations peuvent faire. Et en fait, quand on y pense, cette nouvelle attitude ira avec mon nouveau mode de vie : la Camille qui sort de sa coquille et qui intéresse une tonne de garçons sur Internet.

Je me souviens tout à coup de ce qu'une illustre top-modèle disait. Pour faire une jolie photo, il faut entrouvrir la bouche, baisser les yeux et, juste au moment où on sent que le flash va se faire entendre, on doit les relever. Je joue le jeu. Juste pour *cette* fois. Je pousse même l'*acting* jusqu'à mettre un doigt entre mes lèvres.

Clic !

La photo est prise.

– Wow ! T'es tellement photogénique, Camille. Cette photo est magnifique ! s'exclame Anouck.

– Là, on dirait vraiment Lolipop_15 ! ajoute Kim en faisant référence au surnom que j'ai choisi sur les sites. T'as vraiment l'air d'une *bitch* de luxe !

Je m'avance et saisis le téléphone, surprise de voir cette fille au regard ingénu, mais ensorceleur tout à la fois, me regarder.

J'aime ça.

- 5 -

Une amitié tissée serré

Fin mai. Trois semaines se sont écoulées à la vitesse de l'éclair depuis qu'Anouck et Kim sont entrées de manière plutôt inusitée dans ma vie. Et quelles belles semaines ç'a été ! La saison des vacances s'annonce des plus excitantes ! Pour une fois, je ne vais pas les passer à lire au parc et à attendre que Philippe ait un peu de temps à m'accorder.

Les filles et moi sommes allées me magasiner une toute nouvelle garde-robe grâce à l'argent que j'ai reçu à mon anniversaire. Il n'y en avait pas une tonne, mais j'ai quand même réussi à m'acheter de nouveaux vêtements vraiment cool pendant qu'Anouck jouait volontiers les stylistes. Par contre, chaque fois qu'elle me demandait d'enfiler quelque chose, je voulais être certaine que c'était parfait, alors je demandais un deuxième avis à Kim. « T'es sûre que ça me va bien ? » « Qu'est-ce que t'en penses ? » « Tu trouves ça joli, toi ? » À la fin de la journée, elle avait l'air un peu fatiguée de mes demandes incessantes, mais je voulais vraiment être certaine que mon style était impeccable et se rapprochait le plus possible du sien. Si elle aimait, ça voulait dire que c'était quelque chose qu'elle porterait.

Maintenant, quand je me promène dans les couloirs de l'école, je le fais la tête haute, car tout le monde sait que je suis une amie de Kim. On me respecte juste à cause de ça, j'en suis certaine. J'adore ce nouveau statut. C'est trop beau pour être vrai ! Je vis une histoire de Cendrillon des temps modernes ! C'est sûr que Kim récolte encore et toujours les plus beaux commentaires de la part des garçons, mais, au moins, je ne passe plus inaperçue. C'est comme si je venais tout juste de débarquer à l'école et que j'étais la petite nouvelle cool sur qui on veut en apprendre un peu plus. Je suis carrément intrigante pour ceux qui auparavant n'étaient même pas au courant de mon existence. C'est un sentiment tellement agréable d'être enfin reconnue par les autres ! Je ne me suis jamais sentie aussi bien de toute ma vie ! Avoir su, j'aurais fait tous ces petits changements bien avant.

Mais ce n'est pas tout ! Je me suis fait une nouvelle coupe de cheveux, aussi. D'emblée, ma mère ne l'a pas aimée (une coupe dégradée avec une longue frange en avant), surtout que je ne lui en ai pas parlé avant de me lancer. Mais moi, j'adore. Puis, après tout, c'est ma tête, pas la sienne. Je me sens enfin plus actuelle et ma grosse tignasse rousse ne ressemble plus aux poils d'un balai usé. Mes cheveux sont enfin domptés. C'est certain que ça demande plus d'entretien et que je dois utiliser le fer plat tous les matins, mais je ne m'en plains pas en raison de l'effet que ça a. J'ai aussi voulu que ma mère m'achète des verres de contact jetables, mais elle a refusé net. J'ai alors marchandé avec elle en la suppliant de m'acheter une nouvelle paire de lunettes et elle a accepté. Elle n'a pas eu le choix de reconnaître que ça faisait une éternité que j'avais cette paire de barniques préhistoriques au visage et qu'il était grand temps de les changer.

Bref, les filles occupent beaucoup de mon temps, mais j'en passe probablement encore plus sur le Net dans les *tchat room*. C'est vraiment mieux que mes anciennes petites activités stupides de potins de stars ! Une chance que j'ai maintenant mon propre ordinateur, parce que, sinon, c'est certain que ma mère me tomberait dessus tous les jours. D'ailleurs, j'ai maintenant la preuve qu'un ordi, ça ne surchauffe pas. Je suis certaine qu'il m'est arrivé de l'utiliser au moins trois heures de suite et je n'ai jamais vu l'ombre d'un filet de fumée s'en échapper. Ma mère racontait n'importe quoi, comme je le pensais.

En tout cas, je ne peux tout simplement plus m'en passer. Dès que j'arrive à la maison, toutes les excuses sont bonnes pour me connecter sur les sites de rencontre. Mes devoirs et études, je m'en occupe, mais vraiment rapidement. Mes notes ne s'en ressentent pas trop. C'est certain que mes résultats sont légèrement moins bons, mais, pour le moment, ce n'est pas dramatique. Mes scores lors de la première portion de l'année étaient excellents, alors mes parents ne se rendront compte de rien.

Depuis que j'ai mis la photo que Kim a prise de moi sur Facebook et sur mes profils de sites de rencontre, j'ai une tonne de nouvelles demandes d'amitié.

Je n'en reviens tout simplement pas ! Ma petite photo ridicule datant de l'an dernier était manifestement dépassée. Avec celle-là, je démontre que je suis en train de devenir une femme. Tout le monde l'a remarqué. Si ce n'était pas le cas, je n'aurais sûrement pas des demandes de personnes beaucoup plus vieilles que moi. Mais je suis quand même sélective. Je n'accepte que les plus beaux gars et ceux qui ont l'air intéressants. S'ils ne répondent pas à ces critères, je ne pousse pas plus loin : pas de temps à perdre. Il y a tellement de personnes à rencontrer ! Et je n'ai pas l'impression de heurter qui que ce soit, tout comme je n'ai pas peur d'avoir l'air de me prendre pour une autre. C'est ça, la magie du Net. Tu n'as jamais quelqu'un en face de toi, donc tu peux faire tout ce qui te plaît.

Ces jours-ci, je discute beaucoup avec un gars qui s'appelle Devon. Je l'ai connu sur un des sites, mais on a fait la transition vers Skype Messenger. Devon est noir. Il est vraiment, vraiment, vraiment beau ! Il me fait penser à un acteur de film d'action ! Avec ses dizaines de photos torse nu, son pantalon porté très bas sur les hanches, il arrive à faire en sorte que des papillons exécutent des danses mongoles dans mon estomac. Je me sens tellement privilégiée de parler avec un gars comme lui ! Jamais dans cent ans j'aurais cru que ça m'arriverait. Toute cette situation est trop surréaliste et j'en profite au max, pendant que ça passe.

Justement, mon ordinateur émet un petit carillon qui indique que j'ai un message. C'est lui ! L'excitation me gagne et je me racle la gorge en faisant passer sur mon dos une mèche de mes cheveux, comme s'il pouvait me voir. Nous ne nous sommes jamais connectés par vidéo. Il ne me l'a jamais demandé, alors je n'ai pas osé le faire non plus.

Devon
Whatup baby girl.

Camille
Salut, Devon. 🙂 Ça va ?

Devon
Yeah. Me suis ennuyé.

Camille
Moi aussi. 😛

Devon
C'est quand que tu vas m'envoyer des belles *pics* de toi ? Moi y en a plein sur mon profil !

Camille
J'sais pas...

Devon
Fais-le maintenant ! *Pleaaaaaase !* 😀
J'veux savoir de quoi t'as l'air !

Camille
Ben, tu peux le voir sur ma photo ! 😛

Devon
J'veux en voir plus ! T'as l'air tellement *sex* !
Ce serait le fun qu'on *hook up.*

Camille
😛

Je fais celle qui est gênée, mais des commentaires du genre, ces temps-ci, j'en lis tous les jours sur mon profil, qui est devenu une véritable autoroute. C'est constamment le gros trafic, juste avec une nouvelle photo. Alors, qu'est-ce que ce serait avec une bonne dizaine de nouvelles ? En plus, Devon n'est pas le seul à m'en demander d'autres. Mais je ne suis pas folle : je préférerais que ce soit Kim qui en refasse pour moi. Elle a tellement bien réussi la première fois ! Je ne voudrais pas tout gâcher en mettant une photo qui ne m'avantage pas. Puis j'ai une nouvelle coupe et toute une panoplie de nouveaux vêtements avec lesquels je pourrais jouer les mannequins. Ouais. Vaut mieux que je trouve une excuse pour le faire patienter.

Camille
Mais j'ai personne pour prendre des photos de moi ! 🙁

Devon
Arrête de trouver des excuses, *Twilight* ! Tu dois avoir une webcam sur ton nouvel ordi. Ça fait des photos, ça !

Ah ! C'est vrai ! Je n'y avais pas pensé. Il faut dire qu'avec l'ordinateur préhistorique que nous avons dans le salon, j'ai complètement oublié que j'étais finalement entrée dans la modernité avec mon portable. Sur l'intérieur du couvercle, je remarque le petit objectif noir encastré dans la machine. Désireuse de voir la qualité de l'image, je réduis la fenêtre de discussion et me rends dans le menu « Démarrer ». De là, je mets en fonction la webcam et, très facilement, je vois l'option « Prendre une photo ». Quand j'appuie dessus, un clic se fait entendre et la photo apparaît. Hum ! Pas mal ! J'ai l'air un peu surprise, mais, en même temps, je trouve la pose spontanée et naturelle. Je retourne à la fenêtre de conversation et dis à Devon que je suis en train de lui préparer un petit quelque chose. Il m'envoie une émoticône excitée.

Je viens tout juste d'avoir une idée de génie.

Je me rends à ma commode sur laquelle est installé un miroir. J'ouvre le premier tiroir et, sous mes tonnes de bas et de petites culottes, je trouve la trousse de maquillage que j'y ai cachée. Je l'ai achetée il n'y a pas longtemps avec Kim, alors que nous étions au centre commercial tout près de l'école. J'ai fait un premier essai maquillage dès mon retour à la maison ce jour-là et, ravie du résultat, je suis allée voir ma mère pour le lui montrer, en pensant qu'elle serait impressionnée par mon talent. Elle a pété une crise du tonnerre.

– Seigneur ! Camille ! Je ne te reconnais même pas sous ces tonnes de maquillage !

Elle a arrêté de laver la vaisselle pour me regarder avec des yeux ronds.

– Quoi, t'aimes pas ça ? lui ai-je demandé.

– Je ne sais pas... Ça te donne un air vulgaire ! Pourquoi en as-tu mis autant ? Cette couleur de rouge à lèvres est tellement de mauvais goût. Une couleur plus douce t'irait beaucoup mieux.

J'ai été choquée par ses commentaires, et blessée, aussi. Je pensais vraiment que je venais de faire du bon travail. C'est vrai ! Qui aurait cru que moi, qui ne m'étais jamais intéressée à ce genre de trucs auparavant, je réussirais à créer un tel résultat du premier coup ? Je m'attendais à ce qu'elle me dise que c'était magnifique, que j'avais du talent, plutôt qu'à me faire dire que j'avais l'air vulgaire. L'air d'un clown, tant qu'à y être ?

– Tu me niaises ? me suis-je informée en appuyant sur chacun de mes mots.

– Non. Et tu vas prendre un autre ton avec moi ! Je commence à en avoir assez de ton attitude, jeune fille ! Je ne sais pas ce qui te prend ces derniers temps, mais tu changes et je n'aime pas ça du tout !

– Ben quoi ? Tu voulais que j'reste une p'tite *reject* toute ma vie ? Avoue que t'aurais préféré ça ! Et, en passant, j'te signale que c'est papa et toi qui me disiez sans cesse : « Allez, sors de ta carapace, rencontre du monde ! » Maintenant que j'le fais, ça vous tente plus, c'est ça ?

– Ce n'est pas qu'on veuille que tu restes dans ton cocon toute ta vie ! Au contraire. C'est plutôt que j'aimerais que tu restes fidèle à toi-même ! Avant, peut-être que tu n'avais pas des tonnes d'amis, mais, au moins, tu te respectais, et je ne suis plus certaine que c'est ce que tu fais en ce moment. Est-ce que c'est vraiment toi, ce maquillage, cette manière de parler et ce nouveau... ce nouveau style vestimentaire ? a-t-elle dit en pointant dédaigneusement mes vêtements du bout du menton. Je suis désolée, mais c'est trop.

– Ben si t'aimes pas ça, t'as juste à regarder ailleurs !

La colère grondait dans ses yeux. Je vois rarement ma mère dans cet état et je n'aimais pas du tout l'air que ça lui laissait sur le visage.

– Ça suffit, va chercher cette trousse, immédiatement, et ça presse. Je te la confisque, m'a-t-elle dit en tendant la main vers l'avant.

– Pourquoi ?

– Parce que je considère que ce n'est pas un privilège que tu mérites en ce moment, vu ton attitude envers ta mère !

Je m'apprêtais à répliquer lorsqu'elle a montré l'escalier pour me signifier qu'elle n'avait pas l'intention de m'entendre davantage. Énervée au plus haut point, j'ai poussé un cri et me suis rendue dans ma chambre pour prendre la trousse. De nouveau dans la cuisine, au lieu de la remettre dans sa main tendue, j'ai lancé la trousse sur la table.

– Tu sais quoi, maman ? Tu devrais arrêter de te demander pourquoi papa est jamais à la maison. C'est parce que t'es trop coincée et qu'il en a marre de te supporter !

À ces mots, ma mère a semblé surprise, puis la surprise s'est transformée en déception. Mais je m'en foutais. Elle l'avait bien mérité. Elle ne voulait pas me laisser vivre ! Ce qu'elle ne sait pas, c'est qu'après cette chicane, je suis allée récupérer la trousse dans les poubelles. Un petit coup de torchon dessus et c'était comme si elle était neuve.

Ce souvenir en tête, je pose la dernière touche à un maquillage de base, question de cacher le plus possible mes milliers de taches de rousseur. Puis je replace la petite trousse à sa place.

Je retourne devant mon ordinateur, rallume la webcam avec l'intention de faire une vidéo. Devon va capoter en me voyant en mouvement. Dès que le voyant lumineux rouge s'allume, je secoue ma longue crinière et la fais ensuite passer derrière mes oreilles de mes deux mains. Je souris à la caméra et lui envoie deux ou trois baisers. Je fais même une *duck face*. Tout le monde le fait ! Je souris une dernière fois. Ça devrait être suffisant. Je regarde l'enregistrement, ahurie de me dire que c'est... moi ! C'est parfait ! Je suis tellement... *sex*, comme dirait Devon.

En allant sur Facebook, j'hésite quelques instants à envoyer la vidéo en privé à Devon. Pourquoi la lui envoyer à lui seulement quand je pourrais la mettre sur ma page ?

Je clique sur « Mettre à jour mon statut » : *Hello, boys !*

Le cœur battant, j'ajoute la vidéo à mon statut et clique sur « Publier ». En quelques secondes à peine, j'obtiens plusieurs commentaires et mentions « J'aime ». Fébrile, je vais lire les commentaires, dont celui de Devon. C'est le premier. « *Dang girl, you* *fine*[*] *!* » « Whoa, super sexy. » « Tu pourrais tellement être mannequin !! » « T'es belle, mon amie ! On dirait quasiment que c'est pas toi ! » Le dernier commentaire est de la part d'Anouck. Je ne sais pas si c'est un compliment, mais je m'en fous, car les remarques et les « J'aime » continuent de s'accumuler. Je suis tellement contente que je ne peux m'empêcher de pousser de petits gloussements et même de rire aux éclats. Soudain, j'entends la porte s'ouvrir derrière moi.

– Qu'est-ce qui est si drôle ? me demande mon père, le sourire aux lèvres, en croisant ses bras sur sa poitrine.

Tiens, je ne savais même pas qu'il était à la maison, celui-là ! Je referme rapidement le rabat de mon portable et lui lance un regard noir.

– C'est pas toi qui m'as appris à frapper avant d'entrer ?

Son sourire s'efface.

– Désolé. C'est juste que tu avais l'air de bonne humeur et j'ai voulu partager ce moment avec toi, dit-il en s'assoyant sur mon lit.

Pour lui faire comprendre que je suis loin d'être heureuse qu'il s'installe et que j'ai mieux à faire, je soupire fortement et commence à tapoter mon bureau du bout des doigts. Qu'est-ce qu'il veut exactement ?

---

[*] Wow, t'es vraiment belle !

– C'est tout ? je lui demande pour accélérer le processus.

– Oui, oui. Je te laisse, finit-il, visiblement déçu de mon attitude.

Il ajoute quand même :

– En passant, je voulais te dire que je suis content que tu te sois fait de nouveaux amis. Mais, là-dedans, il ne faut pas que tu oublies de rester fidèle à toi-même. D'accord ?

Sans me donner le temps de placer un mot, il se lève et referme la porte derrière lui. De toute évidence, il a eu une conversation à propos de moi avec maman, lui ! Sinon, comment est-ce qu'il pourrait être au courant de mon supposé changement d'attitude, alors qu'il n'est jamais à la maison ?! Pfff ! Je pense à peine à ce qu'il vient de me dire et soulève de nouveau le couvercle de mon ordinateur.

Wow, je suis tellement populaire !

- 6 -
Problème au paradis

Les classes sont terminées depuis environ une heure et Kim, Anouck et moi nous sommes déplacées vers le centre-ville de Montréal. Nous nous rendons aux portes ouvertes de Model Box, une agence de mannequins réputée. Depuis le soir où j'ai mis en ligne plusieurs photos et vidéos de moi, beaucoup de personnes m'ont demandé si j'étais mannequin. Chaque fois que je répondais par la négative, on me disait que c'était vraiment dommage parce que j'avais tout ce qu'il fallait pour l'être. Je me suis donc rendue sur Internet afin de voir les critères des agences. Après vérification, je me suis rendu compte que je correspondais aux exigences quant à la taille et aux mensurations. J'ai donc décidé de tenter ma chance et, depuis, je suis carrément obsédée par ça.

Et, aujourd'hui, c'est le grand jour !

Pendant que nous longeons le boulevard Saint-Laurent, je suis au paroxysme du stress, de l'anxiété et de l'excitation tout à la fois.

– J'arrive pas à croire que j'vais finalement y aller ! Vous vous imaginez si, dès que j'mettais les pieds à l'intérieur, ils s'exclamaient : « Oui, toi, on te veut ! » Ce serait tellement le top !

– Ils pourront pas faire autrement, me rassure Anouck. Ils seraient fous de pas te sélectionner. Mais, s'ils le font pas, tu sais c'que tu devrais leur dire ? Qu'ils ne savent pas ce qu'ils manquent ! Au pire, tu les feras s'en mordre les doigts. Pas vrai, Kim ?

– C'est sûr, répond-elle pendant qu'elle pianote, encore, sur son téléphone. Mais faut quand même pas se faire de faux espoirs. À c'qui paraît, c'est super compétitif, ce domaine-là, et je suis pas certaine que t'aies nécessairement tout ce qu'il faut pour le faire, dit-elle en me regardant de haut en bas. En tout cas, pas selon ce que j'ai vu dans *America's Next Top Model*. Va falloir que tu travailles fort. C'est comme dans mes campagnes de présidence, je trime dur !

Alors que j'étais gonflée à bloc, je me sens soudainement aussi vide qu'un vieux ballon de soccer. Anouck s'en rend compte rapidement.

– C'est pas nécessairement représentatif de la réalité, Kim ! Ça va aller, Camille ! Et c'est pas le moment de perdre ta confiance, car on est arrivées !

– Tu vas voir, Kim, j'peux réussir ! Comme toi, sinon mieux ! j'affirme en ignorant ce qu'Anouck vient de me dire.

Kim me fait un petit sourire pincé avant de reporter son attention sur son téléphone. Brave et déterminée, je décide de pousser la porte pour entrer.

À peine avons-nous mis les pieds à l'intérieur qu'une femme d'un certain âge vient à notre rencontre. Elle me demande de la suivre dans un bureau lorsque je l'informe que je suis là pour les portes ouvertes. En avançant dans le petit couloir, je suis impressionnée de voir les murs tapissés de photos des mannequins que j'ai appris à connaître au cours de mes recherches. Mon cœur continue de palpiter alors que je me dis que je pourrais être parmi elles.

La dame prend place derrière son bureau et je dois avouer qu'elle a l'air tout sauf intéressée par ma candidature. Elle soulève même les sourcils à plusieurs reprises en jetant un coup d'œil à mon portfolio fait maison. Finalement, après avoir feuilleté quelques pages, elle brise l'épais silence qui régnait dans la pièce et referme mon cartable.

– Tu es jolie, c'est indéniable (j'esquisse un large sourire). Par contre, ce ne sont pas de bonnes photos à présenter à une agence (mon sourire disparaît aussi vite qu'il était venu). Reviens quand tu auras quelque chose de, disons, plus sérieux à présenter. Entretemps, je ne pense pas que celles-ci prouvent que tu as ce qu'il faut pour être mannequin.

À ces mots, la dame se lève et m'escorte jusqu'à l'entrée, où je retrouve Kim et Anouck. La honte !

Ma mine déconfite doit vouloir tout dire, car Anouck s'avance vers moi et entoure mes épaules de ses bras.

– Qu'est-ce qu'elle t'a dit ? demande-t-elle.

– En gros, que mon portfolio fait vraiment dur et que j'ai pas ce qu'il faut pour être mannequin.

Je sens que, si je dis un mot de plus, ma voix se brisera, mais je refuse de me laisser démonter par ma première expérience. Je suis certaine que Kim ne se laisserait pas abattre, elle. Une autre agence reconnaîtra mon potentiel. C'est sûr. Je propose aux mousquetaires que nous tournions les talons, quand la femme avec qui je me suis entretenue revient vers nous et s'adresse à Kim.

– Excuse-moi, est-ce que la carrière de mannequin t'intéresse ?

Abasourdie par ce que je viens d'entendre, je relève la tête, les yeux ronds comme des billes. Kim me regarde, tout aussi surprise, mais ses lèvres s'étirent lentement en un sourire. Elle prend son petit air suffisant que je déteste. Je la fixe durement, en espérant qu'elle comprendra le message : « Si tu lui réponds oui, j'te tue ! » Pourtant, elle a vraiment l'air de considérer l'offre de la dame. Kim me jette un dernier regard avant de dire :

– Non, merci ! Peut-être une autre fois !

– Prends quand même ma carte, au cas où tu changerais d'avis.

Je contiens un cri de toutes mes forces au moment où Kim prend la carte des mains de la dame en réprimant à peine sa joie. J'aurais envie de lui ordonner d'effacer cet air arrogant de son visage, mais, à la place, je dévale les marches en trombe. Lorsque nous sommes à l'extérieur, c'est plus fort que moi, j'explose.

– « Non merci, peut-être une autre fois » ? Depuis quand tu veux être mannequin, toi ?

– De quoi tu parles ? J'ai rien accepté !

– Peut-être, mais tu y pensais ! T'as pris sa carte !

– Ça veut rien dire, calme-toi !

Elle est là, un petit air prétentieux encore accroché au visage, et me regarde comme si je n'avais aucune raison de me plaindre. Elle ne comprend vraiment pas à quel point son comportement me choque ? Son manque d'empathie me jette à terre.

– Comment tu peux me faire un truc pareil ?

– *Oh, my God !* Calme-toi, tu pètes une coche pour rien !

– J'en ai assez ! C'est tout le temps la même chose avec toi ! Il faut toujours que tu voles la vedette !

– Désolée d'être comme je suis ! se moque-t-elle.

Voyant la discussion prendre une tournure imprévue, Anouck nous interrompt :

– Bon, écoutez ! Ça donne rien de se chicaner, on va...

– *Whatever !* J'aurais jamais dû venir ici avec toi, Kim ! Si ça se trouve, si j'y étais allée seule, elle m'aurait remarquée ! je crie en coupant la parole à Anouck.

Kim tente de se défendre.

– Mais...

– Laisse faire !

Sur ce, je pars à la course, ne laissant à personne le temps de placer un mot de plus.

– Ben, si elle a une chance, pourquoi est-ce qu'elle la prendrait pas ?

– T'es sérieusement de son bord, Phil ? Je sais que tu la trouves *cute* et tout, mais c'est moi, ta meilleure amie, j'te signale !

Je parle à Philippe au téléphone en regardant distraitement mon ordinateur qui affiche une demi-douzaine de fenêtres de discussion qui clignotent. J'ai passé les vingt dernières minutes à lui expliquer ce qui s'est passé hier, alors que nous étions à l'agence. J'étais certaine qu'il serait de mon avis, mais, évidemment, il trouve le moyen de dire que j'exagère.

– C'est pas une question de prendre son bord ! J'comprends que ça puisse te faire chier, mais mets-toi à sa place : si on t'offrait l'occasion de sourire pour une caméra et de faire de l'argent avec ça, tu le ferais, non ?

Je sais que c'est vrai, mais je refuse de lui donner raison si facilement.

– C'est pas ça, l'idée ! C'est *mon* rêve ! Mon rêve depuis toujours !

– Ton rêve de toujours ou ton rêve depuis que tu mets des tonnes de photos et de vidéos sexy de toi sur Facebook ? J'te reconnais quasiment pas...

– C'est juste une partie de moi que tu connais pas, c'est tout. Fais-en pas tout un plat. Pis, c'est sûr que ça aide, tous les commentaires que j'ai ! Tu les as lus ? Tout le monde est du même avis : j'suis *fuckin' hot*, Phil ! je lâche en riant.

– Ça fait longtemps qu'on n'est pas allés au *skate-park*, dit-il pour changer de sujet.

Il fait souvent ça lorsqu'il est découragé par ce que je suis en train de raconter.

– J'suis occupée avec les filles ! je réplique, agacée.

– Donc, t'as plus de temps pour moi ?

– C'est pas c'que j'ai dit...

– Mais c'est ça pareil qui se passe, finit-il.

Je pousse un soupir. Pas moyen de faire en sorte que tout le monde soit content ! Moi incluse !

– Tu me manques, Cam, c'est tout.

Je m'attendris un peu. Il me manque aussi et c'est vrai que je n'ai pas passé énormément de temps avec lui récemment.

– T'as raison, Phil, j'm'excuse... Je...

Je n'ai pas l'occasion de terminer ma phrase. Un bip m'indique un second appel. Je demande à Philippe de m'attendre. Tout juste avant de la prendre, je m'aperçois qu'il s'agit de Kim. Nous ne nous sommes pas parlé depuis notre toute première chicane. Je tente de répondre de la manière la plus détachée possible, en espérant que la conversation se passe bien.

– Salut, c'est Kim.

– Ah, salut.

– Écoute, j'voulais m'excuser pour vendredi. J'ai pas eu l'air de te soutenir et c'était pas très cool de ma part.

Je ne sens aucun remords dans sa voix, mais je m'en fous. D'ailleurs, ça sonne comme du Anouck tout craché, ce qu'elle vient de dire. Celle-ci est derrière cet appel, j'en suis certaine. Au moins, Kim a pris le temps de m'appeler. Je suis surtout soulagée de constater que cette histoire ne se rendra pas plus loin.

– C'est correct.

– *Good.* Pour me faire pardonner, j'aimerais ça, t'inviter à une soirée chez une de mes amies. Ça te tente de venir ?

– Ouais ! Pourquoi pas !

– Super, j'te texte l'adresse !

– C'est correct si j'viens avec quelqu'un ?

– Ouais, *whatever* ! À tantôt, *biatch* !

Je retourne à Philippe. J'ai dans l'idée que, moi aussi, je devrais me faire pardonner par un ami.

– Ça te tente de sortir ce soir ? Kim va être là !

– Pour de vrai ?

– Ouep ! J'te texte l'adresse !

– T'es super cool, Cam !

– *Shut up !* Je sais ! À tantôt !

Je raccroche, excitée comme une puce sur le dos d'un chien bien dodu.

Je sais exactement ce que je vais me mettre sur le dos ce soir.

– À tantôt, maman, dis-je en passant à la vitesse de l'éclair dans le couloir menant vers la porte.

– Où est-ce que tu vas à cette heure, on peut savoir ?

– Je vais à une soirée avec Philippe.

Il vaut mieux ne pas mentionner Kim, étant donné que ma mère ne l'aime pas beaucoup. Je préfère ne pas prendre le risque qu'elle me demande de rester à la maison.

– C'est où ?

– Chez un ami.

– Je le connais ?

– Non.

– D'accord, je t'y amène.

– Non, ça va, j'vais marcher.

– Donne-moi l'adresse alors, je vais venir te chercher.

Je pousse un soupir d'exaspération.

– Il va falloir que tu me dises quelque chose à propos de cette soirée si tu veux que je te laisse partir !

– Je rentrerai pas tard. Promis.

– Très bien. Texte l'adresse à Nikolas, il viendra te chercher à neuf heures.

– Mais il est cinq heures ! J'aurai même pas le temps d'en profiter à fond !

– Dépêche-toi de t'y rendre, alors. Et je veux être capable de te joindre.

Sur ces mots, elle se tourne pour se replonger dans sa lecture.

– *Bitch*, je chuchote en ouvrant la porte.

– Tu as dit quelque chose, Camille ? me demande ma mère.

– Non, rien.

En refermant la porte derrière moi, je me demande comment j'ai pu croire que ma mère était différente des autres. C'est probablement parce que, avant, je n'avais pas de vie et qu'elle pouvait me contrôler à sa guise. Mais, maintenant que je socialise comme une ado normale, je n'ai pas l'intention de me laisser faire et de manquer encore une seule seconde de mon existence !

Après un trajet en autobus d'une vingtaine de minutes, je rejoins Philippe devant la maison où se passe la soirée. Ç'a l'air vraiment animé, là-dedans !

– Enfin, t'es là ! lâche-t-il en me voyant arriver.

– Ouais, désolée ! Prends ça !

Je lui tends mon sac et enlève le survêtement de sport que j'ai sur le dos. Mon *vrai* ensemble pour la soirée se trouve en dessous. Je n'avais pas le choix, car ma mère m'aurait sans aucun doute obligée à me changer, ou, pire encore, m'aurait empêchée de sortir si elle avait vu ce que j'ai choisi ! Je porte des *skinny jeans* troués à taille ultra basse et une camisole très échancrée au niveau de la poitrine, même si je n'ai pas les plus gros seins de la terre. J'ai remédié à la situation en m'achetant un soutien-gorge *push-up* rembourré chez La Senza. J'étais vraiment contente lorsque j'ai vu que ça se faisait dans ma taille. Faut croire qu'il y a des compagnies qui songent aux besoins des filles de quinze ans comme moi !

– C'est comme *ça* que tu comptes y aller ? me demande Philippe en me regardant d'un œil louche.

– Ouais !

Je lui reprends mon sac des mains et fourre le survêtement de sport dedans. À l'intérieur, je tombe sur Anouck après seulement quelques pas dans la grande maison.

– Wow ! C'est... C'est vraiment beau, c'que tu portes !

– Merci, dis-je sans aucune fausse modestie. En passant, lui, c'est Philippe ! Tu veux lui présenter Kim ? Il en pince pour elle, j'ajoute en faisant un clin d'œil à Anouck.

– Camille ! s'exclame Phil. C'était pas nécessaire, là...

Il a l'air mal à l'aise. Je regarde Anouck et elle rougit pour lui. Je lève les yeux au ciel.

– *Come on !* On est plus des enfants ! J'm'en vais en profiter, moi ! Soyez sages, je leur lance en m'engouffrant dans la maison.

Les yeux atteints d'une fébrilité fiévreuse, j'explore chacune des pièces, qui, à mon avis, sont toutes plus invitantes les unes que les autres. Dans la cour arrière, je remarque un spa qui fume d'un côté, une piscine pleine à craquer de l'autre et, au fond, un groupe de personnes rassemblées autour d'une table. J'aurais envie de me lancer, mais mon premier pas ne me mène nulle part. Tout à coup, je bloque, et tout autour de moi m'apparaît intimidant. Sans que je m'y attende, mon excitation se transforme en malaise. Euh... Qu'est-ce qui se passe ? J'ai peut-être l'allure qui va avec la nouvelle attitude que j'ai envie d'avoir, mais c'est autre chose d'appliquer celle-ci dans la réalité. Sans Kim à mes côtés, on dirait que ce n'est pas pareil. Je ne me sens plus aussi cool et invincible. J'ai la sensation que je ne suis qu'une Camille accoutrée de vêtements qu'elle a volés à la star pour se rendre à la fête... Jusqu'à présent, j'ai presque exclusivement gravité autour de Kim et d'Anouck. Lorsqu'il y avait d'autres personnes autour de nous, comme d'habitude, je me taisais avec l'impression de ne rien avoir d'intéressant à dire. La seule différence était qu'au moins je faisais partie du groupe, même si je n'y étais pas active. Je me rends compte que j'ai peut-être changé l'extérieur, mais, à l'intérieur, je suis encore *moi*. La même Camille, incapable d'aborder un garçon dans une foule. Tout à coup, je ressens la distance qui me sépare de mon ordi, derrière lequel tout est facile. Au moins, dans cette situation, je peux prendre le temps de réfléchir à ce que je vais dire, question de ne pas avoir l'air stupide. Ici, je suis mise à nu.

Je suis brusquement tirée de mes réflexions. Quelqu'un vient de me pousser et je crie alors que je sens un liquide froid descendre tout le long de mon dos.

– Oh, *shiiiiit* ! s'exclame le fautif avec un rire incontrôlable. *Yo*, fille, j'm'excuse ! Sérieux, là !

Sur ces mots, il reprend son rire ridicule, pendant que je frissonne, saisie. J'aurais envie de l'engueuler comme du poisson pourri, mais, bien entendu, je n'en fais rien. Un autre gars, l'air tout aussi éméché, un verre à la main, observe la situation et s'avance vers moi, un sourire coquin accroché aux lèvres.

– S'cuse-moi pour mon chum, y est complètement soûl !

– Ah ? Tu crois ?

– Viens, j'vais me faire pardonner pour lui, dit-il en me faisant un clin d'œil.

Séduite par la main qu'il pose sur ma hanche, je ne me fais pas prier alors qu'il m'entraîne au fond de la cour. Je me sens rougir et je me surprends à espérer qu'il ne le remarquera pas. Il me présente à ses copains comme la plus jolie des filles qu'il a rencontrées ici ce soir et ordonne qu'on m'offre un verre. Les autres s'appliquent comme de petites abeilles vaillantes.

– Avale ça, ma jolie ! me propose le gars.

Tout le monde me regarde en chantonnant à l'unisson « Bois ! Bois ! Bois ! » et en tapant énergiquement sur la table. J'aurais l'air folle si je ne le faisais pas, donc je porte le petit verre à mes lèvres et sirote doucement la boisson, quand le gars pousse carrément sur celui-ci pour que je l'absorbe d'un trait. Un peu de liquide s'échappe de la commissure de mes lèvres pendant que je tousse, désorientée. Les gens attroupés autour de la table se mettent à applaudir à tout rompre en m'encourageant de leur voix altérée par l'alcool. Lorsque je rouvre les yeux, tous ces visages fixés sur moi me poussent à poser mon verre sur la table de manière résolue.

– Sers-moi un autre verre !

Les cris redoublent d'intensité et j'ingurgite le liquide transparent sans prendre le temps de respirer.

Les autres boissons qu'on m'offre aussi.

Plus tard, manifestement pompette, je retourne dans la maison et me dirige vers le salon, transformé en véritable piste de danse. Sans aucune gêne, je me lance et bouge comme une experte de danse hip-hop. Rapidement, un gars vient se greffer à moi et place ses mains sur mes hanches. Au début, je sursaute un peu, mais je me laisse aller en lui faisant un sourire engourdi. Ses mains se baladent librement sur mon corps. Je voudrais lui dire d'arrêter, mais, au lieu de ça, je me retourne vers lui et prends ses mains dans les miennes en me disant que ça lui donnera moins d'options. Il se défait rapidement de ma poigne pour aller glisser ses mains sur mes fesses. Mi-agacée, mi-amusée, je les remonte pour qu'il les pose sur ma taille. Je rigole, mais je n'aime pas vraiment ça. Mon geste devrait être suffisant pour qu'il comprenne, non ? Puisqu'il insiste, j'essaie de lui lancer un regard qui lui fera saisir mon désaccord, mais ça ne donne rien, il ne me regarde même pas dans les yeux. Au moment où je me décide à balbutier quelque chose, il me surprend en plongeant sa langue dans ma bouche et en l'agitant dans tous les sens. Pendant qu'il m'empêche carrément de respirer, je me demande : est-ce que c'est ça, embrasser ? Son haleine empeste l'alcool, la mienne aussi, probablement. Un haut-le-cœur me gagne tranquillement. Je me sens mal. Vraiment mal. Malgré mon esprit voilé par un épais brouillard, je me dis que je n'imaginais pas mon premier baiser comme ça. Je pensais au moins que je connaîtrais le nom de mon prince charmant.

Fatiguée de ce manège gluant, je repousse le gars des deux mains, et par le fait même sa langue de serpent. Finalement, je suis capable de plonger mes yeux dans les siens. Il ne comprend pas mon attitude, mais je n'ai pas envie de la lui expliquer non plus.

Je me lève et titube vers la salle de bain, une main contre la tête. Je me sens tout à l'envers. En me regardant dans le miroir, je me trouve complètement ridicule, avec mon rouge à lèvres tape-à-l'œil, exactement le même que ma mère détestait tant, étendu partout sur mon visage. Mes cheveux en bataille ont perdu le lissage que je leur avais fait avant de partir. J'ai l'air d'un clown triste, victime d'une pièce de théâtre dont il ne pensait jamais être le souffre-douleur. Mais qu'est-ce que je suis en train de faire, bon sang ? Tout ce que je voulais, c'était rencontrer l'amour ! Oui, qu'est-ce que je fais, là ?

En plus de tout ça, je sens que quelque chose cloche. J'ai l'impression de m'être fait voler un bien précieux... Mon tout premier baiser. Celui que j'attends depuis bien trop longtemps, moi qui, à quinze ans, n'avais jamais goûté à ce que d'autres ont expérimenté depuis des lunes. Au moins si ç'avait été *cute*... En ce qui me concerne, tout ce que j'ai à dire, c'est que c'était mouillé et collant. Une énorme boule se forme dans ma poitrine et la comprime. Non, ce n'est pas de cette manière que j'imaginais cette première fois.

Mon téléphone se met à vibrer. Je le sors de ma poche, au cas où ce serait ma mère. En fait, je souhaite vraiment que ce soit elle. Il faut absolument que je raconte à quelqu'un ce qui vient de se passer et elle me semble la personne tout indiquée pour cela. J'ai peut-être été vache avec elle, mais c'est ma mère, quand même. Elle est capable de passer par-dessus.

Quand je m'aperçois que ce n'est qu'un message texte et qu'il est de Phil, je me surprends à être déçue.

Too bad. Peut-être que c'est un signe pour me faire comprendre que ma mère ne devrait pas savoir. Si je ne me reconnais pas moi-même, je n'ose pas imaginer ce qu'elle peut penser.

> *Philippe - 19 h 46*
> *Hé ! J'ai passé une bonne demi-heure à jaser avec Kim. Elle est tout ce que je croyais et plus et... on a fini par se fixer un rendez-vous !!! 😃 Tu te rends compte ?! Kim Blainville et moi ! Merci, Cam ! J't'en dois une !*

Malgré les larmes qui coulent sur mes joues, je souris. Au moins, pour l'un d'entre nous les choses se passent comme prévu. Je réponds rapidement à Philippe en lui disant que je suis contente pour lui. Ensuite, j'envoie un message à Nikolas pour lui demander de venir me chercher. J'en ai assez, de cette petite soirée. Finalement, les partys, c'est vraiment pas ma tasse de thé. Je passe mon temps à m'isoler dans les toilettes !

En sortant de la salle de bain, je repasse devant le salon et me rends compte que Kim est en train de se la faire *Dirty Dancing style* avec le gars qui m'a volé un baiser. Je voudrais l'avertir qu'il n'est qu'un imbécile, mais on dirait qu'elle, ça ne la dérange pas du tout que ses mains se baladent aussi vicieusement sur son corps.

Contrairement à moi.

Ouais, ce n'est pas facile d'être aussi cool qu'elle.

- 7 -
Ricochet

– Camille, cherche donc l'info sur la population dans ces documents que j'ai imprimés hier, me demande Kim en lançant une pile de papiers à mes pieds.

Je la toise durement en maudissant son attitude de *bitch*. Elle ne me voit pas, donc j'en profite pour l'imiter en silence et me moquer d'elle. Ces derniers temps, Kim, chez qui Anouck et moi sommes justement, m'énerve royalement. Elle se prend pour la reine de je ne sais pas trop quelle nation. Tout est toujours à propos d'elle.

– T'aurais pu te lever et venir me les porter, aussi, les papiers !

Elle ignore ce que je dis et répond plutôt à son téléphone qui vient de sonner, alors qu'Anouck fait des recherches sur Internet. Pendant ce temps, je mâchouille mon crayon, boudeuse. Je commence à en avoir assez de cette histoire de trois mousquetaires, quand moi, je me sens complètement exclue. J'ai l'air de taper sur les nerfs de Kim au plus haut point, et Anouck, qui semble se rendre compte de mon malaise, ne dit rien, car elle ne veut pas s'attirer les foudres de Kim. C'est vraiment plate comme dynamique. Elles me font croire que je fais partie du groupe, mais je commence à me dire que c'est de la foutaise. C'est drôle, surtout que je courais après des amies depuis longtemps, mais je suis contente que la fin de l'année frappe déjà à nos portes. Plus que trois semaines et je n'aurai plus à les supporter tous les jours, même si je n'ai encore aucun plan pour l'été qui s'annonce.

Quoi qu'il en soit, je ferais mieux de me concentrer sur la tâche à laquelle nous devons nous atteler. Kim, Anouck et moi avons une présentation orale à faire sur un pays que le professeur nous a assigné. Le Japon. Ça promet d'être passionnant ! *Not !*

Au moins une vingtaine de minutes se sont écoulées depuis que Kim a répondu à cet appel. Elle pense qu'on va faire ce travail à nous seules ou quoi ? Pas question qu'elle me refasse le même coup que pour la production écrite ! Je commence vraiment à me dire que, si elle est présidente de classe et du conseil d'administration des élèves, ce n'est certainement pas grâce à son intelligence, mais plutôt grâce à sa poitrine bien rebondie !

– Kim, ce travail, on va pas le faire à deux ! je lui lance, furieuse.

– C'est vrai, renchérit Anouck. Et avec qui tu chuchotes depuis tout à l'heure ? Ça va faire bientôt vingt-cinq minutes que t'es au téléphone !

Elle place la main sur le micro de son cellulaire et expire bruyamment.

– Oui, ce s'ra pas long ! Qu'est-ce que vous pouvez être chiantes quand vous voulez !

Elle replace le téléphone sur son oreille et poursuit sa conversation, tranquillement, comme si de rien n'était. Anouck et moi nous lançons un regard irrité. Ce n'est qu'une dizaine de minutes plus tard que Kim se décide finalement à raccrocher pour aller s'asseoir en tailleur sur son tapis à poils longs. Bon. Allons-y cette fois si nous voulons terminer ce travail ! Je m'apprête à leur demander leur avis sur une question importante quand Anouck prend la parole.

– Avec qui tu parlais, Kim ?

Seigneur ! Pour de vrai ? je pense pour moi-même. On va vraiment parler de Kim, encore ?

– Personne, répond-elle sur un ton bête.

– Tu parles toute seule maintenant ? Et au téléphone en plus ? Wow, tu débloques, ma vieille ! je réplique, exaspérée, en ne détournant pas le regard de mon encyclopédie.

– Si tu veux tout savoir, c'était mon chum ! finit-elle par lâcher, fière.

– Ton chum ? répète Anouck. Est-ce que ce serait le beau Philippe par hasard ?

La conversation qui jusque-là m'indifférait complètement attire soudain mon attention.

– Pfff ! reprend Kim. Ça fait genre deux semaines et demie que j'suis plus sur son cas ! J'avais pas envie d'un bébé, mais d'un homme, émet-elle, le sourire aux lèvres.

– C'est censé vouloir dire quoi, ça ? je lui demande.

– Tout simplement qu'il était pas pour moi ! J'mentirai pas, j'ai trouvé ça vraiment *cute* de le voir faire des efforts pour me conquérir au party l'autre jour, donc j'ai accepté de sortir avec lui pour l'encourager, poursuit-elle en riant. Mais, à la dernière minute, j'ai *choké* et je l'ai pas appelé. Ça me tentait juste pas d'avoir à me joindre à son *pity party* !

– C'est pas très gentil de ta part, ça ! je rétorque entre mes dents, révulsée qu'elle parle de mon meilleur ami comme ça. T'aurais pu au moins l'avertir ou, au pire, lui donner une excuse bidon ! Là, c'est clair qu'il t'a attendue comme un bel imbécile !

Kim se met à ricaner en regardant Anouck, qui ne semble pas vouloir se mêler de cette histoire. Comme d'habitude, elle garde la queue entre les jambes.

– Calme-toi, là ! reprend Kim. T'es en amour avec, ou quoi ?

Tout de suite, son insinuation me répugne, mais, en même temps, je sens mes joues prendre feu. Je la contredis rapidement :

– Non ! Phil et moi, on est juste des amis.

– *Good !* Alors, t'iras consoler ton p'tit copain de maternelle ! répond-elle ironiquement avant de poursuivre son histoire. De toute manière, comme je l'ai dit, j'ai un chum, maintenant.

– Et est-ce qu'on le connaît ? poursuit Anouck, visiblement intriguée.

– Non, c'est un gars que j'ai rencontré sur Twiig. Il a dix-huit ans et il s'appelle Étienne. Attendez, j'vais vous montrer sa photo !

Kim reprend son cellulaire pour nous dévoiler fièrement la photo du gars en question. Même si je regarde son appareil d'un œil distrait, je ne peux que constater qu'il est vraiment beau. Le reconnaître m'enrage encore plus alors que Kim les vante, lui et la relation parfaite qu'ils partagent.

Elle continue de glousser comme une dinde à propos de son Étienne, et moi, je n'écoute plus. D'ailleurs, je n'en peux plus de l'entendre chanter les louanges de son monde. Chaque fois qu'elle ouvre la bouche, j'ai l'impression que c'est pour parler de ce qu'elle a, et nous, pas. N'en pouvant plus, je la coupe sèchement.

– Oh ! C'est toujours toi qui tombes sur les meilleurs ! Tu pourrais pas en laisser pour les autres un peu ?

Kim me fusille du regard, stupéfaite par ce que je viens de lui crier par la tête. Elle ne le relève pas, mais je vois bien qu'elle se retient.

– On ferait mieux de se concentrer sur notre travail. J't'en parlerai plus tard, Anouck, dit-elle pour m'exclure intentionnellement de ses futures confidences. Bon. Il faudrait du matériel d'appui. On pourrait imprimer une photo du drapeau, du paysage...

– Ouais, ben tout ça, c'est déjà fait. Il manque juste le carton. On s'en est occupées pendant que tu parlais à ton prince charmant, je réplique d'un ton railleur.

– Ça va, j'me suis excusée ! Tu veux arrêter d'être jalouse ? D'ailleurs, j'en ai assez de tenir le rôle de conseillère pour que madame la *reject* se sente finalement dans le coup ! T'es tout le temps en train d'me demander mon avis pour tous tes petits problèmes ridicules ! J'ai l'impression que t'essaies d'être comme moi et c'est pathétique, t'as pas idée comment !

– Kim ! s'écrie Anouck, offensée par sa tirade. D'où tu sors tout ça ?

Évidemment, Anouck s'en mêle seulement quand la situation s'envenime, pour tenter de calmer les esprits échauffés.

– J'en ai assez de me taire pendant qu'elle fait son chien de poche ! C'était *cute* au début, mais, à un moment donné, ça suffit !

Je ne bouge pas d'un poil. Je suis déroutée par tout ce qu'elle vient de me balancer à la figure, mais, surtout, je me sens trahie en constatant que ce que je pensais plus tôt est vrai. Il n'y a pas une once de remords sur son visage. Elle pense tout ce qu'elle vient de me dire. Elle n'a pas l'intention de se reprendre ou de s'excuser. Pour elle, c'est la vérité pure et simple. Bref, elle me méprise. Ça me fait l'effet d'une claque en plein visage. Je pensais avoir de vraies amies, mais, de toute évidence, je me trompais. Ce n'était pas parfait, c'est clair, mais au moins... Je ne sais pas quoi dire. Je ne sais même pas par où commencer pour me défendre. Mais pourquoi me défendre, au juste ? Parce que je voulais une amie ? J'ai envie de lui dire quelque chose qui fait mal aussi, mais mon esprit est bloqué.

– J'ai besoin d'aller prendre l'air. J'vais aller acheter les cartons. Tu viens, Anouck ? reprend Kim.

Anouck se lève et vient vers moi.

– J'vais lui parler, Cam. T'en fais pas, ça va aller, dit-elle en posant une main sur mon épaule.

Elle chuchote ensuite, mais assez fort pour que Kim puisse l'entendre :

– T'es fantastique et, surtout, t'as pas besoin de copier personne pour être unique. (Elle me fait un clin d'œil, mais je ne m'en formalise pas trop.) Allons-y, termine-t-elle durement à l'intention de Kim.

C'est drôle ; il n'y a pas très longtemps, mes parents me tenaient un discours semblable.

Toudoudoum ! Une alerte Skype Messenger retentit.

Une fois qu'elles ont quitté la pièce, je laisse place à toute ma rage. Comment Kim peut-elle me dire des choses si odieuses, si froides, si blessantes, et sans même lever un sourcil, en plus ?

Toudoudoum, toudoudoum !

Je me mets à faire les cent pas et, pour faire sortir un peu de cette colère qui me consume, j'assène un coup de pied au mur. Si elle veut tout savoir, j'ai bien mieux à faire que d'imiter madame ! Je... Je suis une personne exceptionnelle !

Toudoudoum !

Kim a vraiment dépassé les bornes. J'en ai marre qu'elle se permette à peu près tout parce qu'elle est miss populaire. Ce qu'elle a dit m'a vraiment atteint, mais je ne peux pas continuellement me laisser marcher sur les pieds. Cette Camille qui se laissait faire est morte quand je suis devenue une des cool ! Non ?

Toudoudoum !

Je me retourne rageusement en direction de l'ordinateur, qui ne cesse de réclamer mon attention. Il est pareil comme elle ! Mais qui peut bien lui envoyer autant de messages, un à la suite de l'autre ? Je place ma main sur la souris pour sortir l'ordinateur de son mode veille et, sans penser au fait que je suis loin de me mêler de mes affaires, je retourne à la page de recherche. Dans la barre des tâches, la fenêtre de Skype Messenger clignote rapidement. Étienne. Ah ! Voilà ! C'est lui ! Quelle chance j'ai d'être tombée sur son nouveau copain !? En souriant pour moi-même, j'agrandis la fenêtre.

Toudoudoum !

Étienne
C'est triste qu'on puisse pas se voir ce soir, finalement !

Ça fait tellement longtemps qu'on en parle !

Étienne
Je nous avais préparé une soirée tellement cool, là !

Étienne
Penses-tu avoir fini bientôt ?

Étienne
J'ai hâte de te parler !

Ne pouvant faire taire ma curiosité, j'écris un « Salut » à l'écran, dans la fenêtre de conversation. Franchement, je ne m'attendais à rien, alors je sursaute lorsque la tonalité annonçant qu'il a répondu retentit.

Étienne
Déjà débarrassée de tes deux copines accaparantes, ma belle ?

Je réprime un cri de colère. C'est donc de cette manière que Kim parle d'Anouck et de moi ? Je tente de me calmer et m'apprête à fermer l'ordinateur pour mettre fin à tout ça quand Étienne tape autre chose.

Étienne
Pourquoi tu réponds plus ? 😐

Merde ! Je n'ai pas le choix de continuer. Sinon, plus tard, il demandera à Kim pourquoi elle ne répondait plus à ses messages et elle se rendra compte que quelqu'un d'autre lui a parlé.

Guidée par ma colère, mais aussi par le désir de me couvrir, je tape rapidement :

Kim
Eh non, ce n'est pas Kim, mais une de ses copines accaparantes ! Qu'est-ce qu'elle t'a dit d'autre à propos de nous ?

Je croise les bras contre ma poitrine, satisfaite de ma réplique. J'imagine son baveux de chum, devant son ordinateur, en train de se demander, paniqué, à qui il parle. Je m'attends à ce qu'il se rattrape avec quelque chose du genre : « Euh... Désolé ! Peu importe qui parle, je voulais pas t'insulter ! », mais, au lieu de ça, il écrit :

Étienne
Kim m'a dit beaucoup de choses...

Kim
Pfff ! C'est juste ça que t'as à répondre ?

Étienne
Ouais... Je voudrais pas dire d'autres conneries... 😬 À qui je parle, en fait ?

Kim
À une de ses copines accaparantes !

Étienne
Non, ça, je l'avais compris, mais j'peux savoir à qui j'm'adresse ? Toi, t'as l'air de savoir qui je suis, mais pas moi... Connecte donc ta webcam !

Kim
Toi aussi !

Étienne
La mienne est brisée !...

Connexion en cours...
Connexion établie.

Étienne
T'es pas difficile à convaincre, toi, dis donc !... Ah ! Tiens, tiens ! Si c'est pas la jolie Camille !

Kim
Comment tu sais j'suis qui ?

Étienne
Kim m'a parlé de toi et de tes cheveux roux... Super beaux en passant. Mais elle exagérait en disant que t'étais pas si jolie que ça !

Kim
Pardon ? Elle t'a dit ça !??!

Alors là, si j'avais Kim devant moi en ce moment même, je vous jure que je lui arracherais sa tête de *bitch* ! Non mais, elle se prend pour qui ?! Malgré le fait que je sois en colère, je dois quand même penser à faire attention à mes expressions faciales. Étienne, lui, il peut me voir...

Étienne
Ouais, désolé...

Kim
C'est drôle, parce que, pas plus tard qu'il y a quelques minutes, elle me criait par la tête que je l'enviais à crever, alors que les rôles sont manifestement inversés ! J'savais que, dans le fond, elle était jalouse de moi !

Étienne
J'imagine que t'as raison. J'trouve même que t'es bien plus *hot* qu'elle ! C'est *overrated*, les blondes aux yeux bleus. Lui dis pas que j't'ai dit ça, surtout ! Sinon, elle va capoter !

Kim
Pour de vrai ?... Tu trouves que j'suis plus belle qu'elle ?

Étienne
Sûr ! Pourquoi tu dis ça comme si c'était impossible ? C'est super attirant, une rousse ! On en dit, des affaires sur elles, en tout cas !

Kim
Ah oui ? Et qu'est-ce qu'on dit sur les rousses ?

Étienne
Ah, OK ! T'es une p'tite coquine, toi ! ☺ 😬

Kim
Ben là ! C'est pas comme si j'avais des oreilles vierges non plus ! Vas-y, *shoot* !

Étienne
Si t'insistes ! En tout cas, j'sais pas, peut-être que tu pourras confirmer, mais on dit que les rousses, c'est des vraies diablesses au lit...

J'écarquille les yeux de surprise, gênée. C'est vraiment ça qu'on dit des rousses ? Avec celle-là, il me prend vraiment de court. Je ne savais pas qu'on disait ce genre de chose sur les filles aux cheveux comme les miens. En ce moment, je n'ai aucun moyen de m'empêcher de devenir rouge comme une pivoine...

Étienne
Ah ! Tu vois, j'savais que j'aurais pas dû dire ça. T'as l'air toute mal à l'aise. ☹

Kim
Ouais. J'aimerais bien voir ta tête, à toi, en ce moment ! Tu dois me trouver bien drôle !

Étienne
Non, *cute*, c'est plus le terme qui me vient en tête !

Kim
Mais, sérieusement, c'est correct... Et je confirmerai rien, en passant ! 😬

Ça fait combien de temps que c'est ta blonde, Kim ?

Étienne
Whoooooooow ! Attends ! Kim ? Ma blonde ? Qu'est-ce que tu racontes là ?

Kim
Comment, qu'est-ce que j'raconte ? C'est ce qu'elle dit !

Étienne
Wow... Il va falloir que j'mette les choses au clair avec elle. Je lui ai dit pourtant que je sortais d'une relation et que j'étais pas prêt à m'embarquer dans autre chose ! C'est pas parce qu'une fille fait des trucs cochons pour toi devant sa webcam que tu la considères comme ta blonde, tsé...

Kim
My God ! Elle est plus pathétique que j'croyais, finalement ! Mais tu sais quoi ? Dans le fond,

ça m'étonne même pas, surtout après ce que j'l'ai pognée à faire avec mon frère. Désolée pour la situation avec ton ex, en tout cas...

Étienne
Ouais... J'me suis fait niaiser... *Whatever*, qu'est-ce que tu veux, c'est la vie... J'veux pas t'embêter avec ces niaiseries-là...

Kim
C'est correct... Moi, j'ai juste hâte de vivre quelque chose dans le genre... D'avoir un chum, j'veux dire...

Étienne
T'as jamais eu de chum ?

Kim
Pas la peine de te moquer, OK ? ☺

Étienne
Non, pas du tout ! C'est pas mal séduisant, une fille qui se respecte, tu sauras. Je dirais pas non à être ton chum, moi, en tout cas !... T'as l'air tellement... spéciale. Surtout après c'que Kim m'a dit de toi. Ça me confirme c'que j'pense en te parlant, j'trouve...

Kim
Ça veut dire quoi, ça ? Qu'est-ce qu'elle t'a raconté d'autre ?

Étienne
Ben, comme j't'ai dit, elle m'a confié beaucoup de choses à propos de vous et elle n'a pas épargné de détails... Sois pas fâchée, mais...

Kim
Mais ?

Étienne
Elle m'a dit que t'étais encore vierge...

Kim
QUOI ???

Si je m'écoutais, je jetterais probablement l'ordinateur de Kim par terre. C'est fou de constater comment elle peut se croire tout permis, Kim Blainville ! Bon, il faut que je me contrôle. Je veux savoir ce qu'Étienne va dire et j'espère qu'il ne me trouvera pas ridicule. J'aime beaucoup parler avec lui en ce moment...

Étienne
J'te juge pas ! Faut être une fille vraiment extraordinaire pour se respecter comme ça ! C'est pour ça que j'te dis que t'es spéciale...

Kim
Elle avait pas à aller colporter MES secrets à tout le monde ! J'ai tellement honte, là. 😳

Étienne
Y a pas de raison, Camille. T'es comme tu es et c'est ben correct comme ça...

On dirait qu'on a de la misère à lui faire confiance tous les deux, pas vrai ? Elle me fait passer pour son chum, elle raconte tes secrets... Qui sait c'qu'elle pourrait faire encore ?!? 😕

Kim
Ouais, on peut vraiment s'attendre à tout avec elle. J'arrive pas à croire qu'elle t'ait raconté ma vie comme ça !

Étienne
Je sais ! Ç'a vraiment pas d'classe... Moi, au moins, j'ai une bonne oreille et j'sais garder des secrets. J'sais pas pourquoi, mais j'ai l'impression que t'es un peu comme moi, là-dessus. Écoute, si tu veux, on pourrait continuer de discuter ensemble et apprendre à se connaître ? C'est vraiment rafraîchissant, discuter avec toi...

Kim
Ouais, ça me plairait bien... J'suis sur Facebook. Camille Samson.

Étienne
Cool. On aura sans doute l'occasion de se rejaser !

Kim
Ouais, c'est ça...

Étienne
Hé ! Oublie pas de supprimer cette conversation ! On sait jamais ce qu'elle pourrait faire si elle découvrait qu'on s'est parlé !

Kim
T'inquiète pas, j'le fais tout de suite. J'ai pas envie qu'elle m'engueule encore. À plus !

Étienne
Bye, jolie Camille, à bientôt, j'espère !

Kim est déconnectée.

Quelques instants après que j'ai supprimé la conversation que nous venons d'avoir, j'ai l'impression que l'adrénaline que je ressentais au départ retombe finalement. De toutes les conversations que j'ai eues sur le Net, c'est celle qui m'a fait le plus grand effet. Il a quelque chose de spécial, cet Étienne. Je souris pour moi-même en me disant que je suis bien plus belle que Kim. Wow ! C'est tout un compliment, considérant qu'elle est vue de tous comme la plus jolie fille de l'école. Il doit vraiment voir quelque chose en moi pour dire ça. Est-ce que j'ai envie de laisser quelqu'un comme ça me filer entre les doigts ? Peut-être pas...

J'entends des pas dans le couloir. Au moment où la porte s'ouvre sur Kim et Anouck, j'efface le sourire de mon visage. Après avoir laissé ses sacs sur le sol, Kim se tourne vers moi en posant les mains sur ses hanches.

– J'suis désolée, Camille, de t'avoir parlé comme ça, affirme-t-elle sur un ton loin d'être sincère.

– C'est pas grave, j'te pardonne, je lui réponds sur un ton encore moins franc.

Intérieurement, je jubile. J'ai trouvé le moyen parfait de me venger.

M'en prendre à ce que Kim aime le plus en ce moment : Étienne.

- 8 -
Le lapin

Étienne, quelques minutes avant sa première discussion avec Kim

Je m'installe à mon bureau se situant dans un demi-sous-sol que je viens tout juste d'aménager en beau petit studio de photographie. J'ouvre la petite lampe derrière mon écran de vingt-sept pouces flambant neuf. En le regardant s'activer d'un œil impatient, je prends une gorgée de Pepsi bien froid. Aujourd'hui, c'est la toute première fois que je l'utilise. J'ai hâte de voir quel genre de performance il va m'offrir ! Le commis du magasin où je me suis rendu pour l'acheter m'a assuré que les couleurs seraient d'une limpidité exceptionnelle et que je pourrais voir le moindre détail de toutes les images que j'observerais. C'est exactement ce dont j'ai *besoin*. Comme ça, je pourrai mieux voir toutes ces petites choses que j'adore tant.

Les courbes à peine prononcées.

Les poils naissants, clairsemés.

Les petites mains fines.

Mais, plus encore, l'innocence dans les yeux.

Surtout l'innocence.

Ah ! La fraîcheur d'une gamine. Je ne pourrai jamais m'en passer !

Ces filles que je regarde et qui m'obsèdent, je ne les touche pas. Tout se passe sur le Net. Et, si ça devait arriver, je m'y prendrais avec une infinie douceur. Tranquillement, sans blesser ou brusquer. Question de leur donner le temps de s'habituer à ce qui se passe. Question que la chanceuse concernée se rende compte que *j'ai* le pouvoir de lui couper une bonne part de gâteau de paradis.

Je n'ai pas encore eu le courage de passer à l'action pour ma première fois. Oh non ! Mais je ne mentirai pas, j'en rêve, de cette première fois. LA notoire première fois. Celle du face-à-face grandiose où je rencontrerai une de ces filles en vrai. LA bonne fille. Je suis conscient du fait que le Net est loin d'être aussi aphrodisiaque que la réalité. Il ne faut pas avoir cent quatre-vingts de quotient intellectuel pour s'en rendre compte. C'est d'ailleurs pour ça que j'envie maladivement les autres sur les forums.

Les autres, qui font et pensent comme moi.

Même si ça peut être difficile par moments, entre nous, dans notre communauté, on continue de s'encourager et de se serrer les coudes. Il faut continuer nos démarches, car les déboires de l'un permettent de trouver des solutions pour les autres, qui réussiront avec brio plus tard. Il ne faut surtout pas baisser les bras, parce qu'après tout on ne fait rien de mal. Si ce n'était pas bien, ce qu'on fait, on ne serait pas autant. On n'aurait pas autant de petites muses, filles ou garçons, selon les préférences de chacun. Aux quatre coins de la terre, on est des milliers, voire des millions à partager la même passion.

Ni plus ni moins, voir des petites filles ou des petits gars nus.

Dans des positions explicites, de préférence.

Mais, comme dans toute situation, y a toujours des cons qui exagèrent. Certains dépassent les bornes et sont méchants avec les jeunes. Ceux-là, je n'approuve pas leurs actes.

Vraiment pas. Je les méprise.

Profondément.

Heureusement, ils ne sont qu'une infime minorité à représenter très mal ce que nous sommes. Cette marge, qu'est-ce qu'elle ne comprend pas, encore ? Il faut être gentil avec eux, bon !

Ces petits êtres, pas tellement plus jeunes que nous, nous permettent de vivre des choses tellement extraordinaires !

Uniques !

Alors, pourquoi donner à la société ce qu'elle veut et confirmer ses propos lorsqu'elle parle de ce qu'on fait en nous qualifiant de monstres ?

Ceux-là, sans aucun respect pour les jeunes, devraient être jetés au trou et ne plus jamais en ressortir.

Mais, pour ceux qui méritent vraiment de faire partie de nos rangs, on est plus qu'une communauté. On est carrément une famille et on prend soin les uns des autres. On se parle de tout et de rien, on rigole, on soigne la peine de l'autre quand ça va mal. Mais aussi, et surtout, on s'échange des photos et des trucs qui nous permettent de ne pas nous faire prendre. C'est certain qu'il faut être un peu habile en informatique. Ce n'est pas n'importe qui qui peut se vanter de maîtriser les méthodes qui font en sorte que c'est un vrai casse-tête de remonter jusqu'à nous. Par contre, avec l'avènement des nouvelles technologies, c'est de plus en plus facile de couvrir nos traces.

C'est comme si la technologie avait évolué pour nous.

Pour nous permettre de faire ce qu'on a à faire, plus simplement, plus rapidement.

Lorsque j'ai débuté sur ces réseaux, la première chose que j'ai faite a été de m'informer auprès des utilisateurs afin de me prémunir contre les erreurs fatales qu'un novice comme moi pourrait faire. Et je me suis rendu compte que, comme dans tout bon système, il y avait des règles d'érigées, un code à respecter. Ces principes, je les ai inscrits sur un bout de papier que j'ai collé dans le couvercle d'une boîte de bric-à-brac qui se trouve sur l'étagère du haut de ma bibliothèque. Là, il est en sécurité, car personne ne vient jamais fouiller à cet endroit. Je le vois comme mon porte-bonheur. De ces règlements, j'ai fait ma bible. Je me suis créé des rituels. Et je sais que, le jour où je passerai à l'acte, dans la *vraie* vie, je serai prêt.

Je me lève et sors la feuille de sa cachette afin de me rappeler le but que je vise depuis longtemps. Je la regarde, fier, avec une pointe d'émotion dans les yeux :

Règles d'or

Éviter :

- d'afficher du matériel avec mon visage ;
- d'afficher QUOI QUE CE SOIT qui montre mon adresse IP réelle ou mon ISP (Internet Service Provider) ;
- de présenter des photos ou vidéos qui permettraient de découvrir à quel endroit je me trouve ;
- de présenter des photos ou vidéos qui pourraient permettre de m'identifier, comme des photos de famille ou des objets particuliers.

Après en avoir fait la lecture, je remets le papier à sa place en le caressant doucement du bout des doigts. C'est bien beau tout ça, mais, en même temps, je déteste vraiment l'idée que, pour le moment, je ne suis qu'un vulgaire *lurker**. J'ai envie d'aller plus loin. Il m'arrive de partager des choses, mais rien qui sorte de l'ordinaire. Ce sont des photos que je trouve sur le Net, mais je me fais toujours dire que c'est du vieux stock. Cependant, j'ai bien l'intention de devenir un *powerposter***. Être de ceux qui distribuent des images dont tout le monde raffole et qui sont d'une originalité inouïe. Moi, l'originalité, c'est vraiment quelque chose qui m'allume ! J'aime voir des photos qui me font réfléchir, qui me font me demander lequel est le membre de l'adulte, lequel est celui de l'enfant. Les voir ne faire qu'un. C'est du matériel comme ça que je veux présenter, des trucs rustiques qui sortent tout droit d'un esprit primitif qui n'a en tête que la beauté du corps enfantin. Du jamais vu, quoi ! Je veux moi aussi recevoir des compliments et avoir le sentiment que tous attendent mon travail. Je veux de ces commentaires qui me feront me sentir bien.

« Wow ! Donne-nous-en plus ! »

« Super, tu contribues vraiment à nos échanges, continue ! »

« Ce que tu fais, c'est de l'art ! Plus ! Plus ! »

---

* Voyeur.

** Grand producteur de matériel pornographique dans les communautés d'échange.

Je *dois* me rendre là. C'est vital, je n'ai pas le choix. Je sens que j'en ai besoin. La seule solution que j'entrevois ? Le contact de cette jeune viande tendre. Comme une tranche épaisse de filet mignon hors de prix devant laquelle on salive avant même d'y goûter et qu'on mange en soupirant de bonheur.

La comparaison provoque un long frisson en moi.

Je cesse mes rêvasseries et me concentre sur mon écran, qui vient d'afficher le bureau de mon ordinateur. Je donne deux coups rapides sur le bouton gauche de ma souris et ouvre machinalement une page Internet pour me rendre sur le site twiig.com. Je trouverai bien encore une fois quelque chose à me mettre sous la dent. En attendant.

Je parcours rapidement les profils dans le forum et, instantanément, un nom d'utilisateur ressort du lot. Lolipop_15. Tout de suite, j'y lis l'innocence d'une jeune fille qui ne comprend pas le double sens de son *nickname* et qui l'a probablement choisi parce qu'elle trouvait ça mignon. Elle ne faisait sûrement pas allusion au membre masculin, qu'on compare quelquefois à une friandise.

Extérieurement, je souris ; intérieurement, une douce chaleur danse contre mes reins. Je dois en savoir davantage.

Quand je clique sur son nom d'utilisateur, une autre page s'ouvre et un joli visage plein de taches de rousseur se présente à moi. Mon cœur se met à battre la chamade lorsque j'arrive à détailler avec une précision infinie ses cheveux roux et que je peux énoncer chacune des nuances de ses yeux vert pâle. Avec son doigt porté à la bouche de manière suggestive, laissant transparaître, au travers de ses lèvres charnues, une dentition blanche et parfaite, elle m'allume. Seulement un visage, pas grand-chose, mais ô combien d'images naissent dans ma tête !

En faisant défiler son profil, à la recherche d'autres photos, je tombe sur un de ses contacts. Kim Blainville. C'est drôle, elle n'a même pas pris le temps de se trouver un surnom. J'adore. Ça rendra mon approche beaucoup plus facile. Contrairement à Lolipop_15, Kim ne s'est pas restreinte en ce qui concerne les photos. Elle est tout simplement magnifique, elle aussi. Ses cheveux blonds donnent le goût d'y plonger la main. Et ses lèvres rouge sang contrastent parfaitement avec le bleu profond de ses yeux, qui sont carrément toxiques. J'ai presque l'impression de sentir ses doux effluves venir chatouiller mes narines. J'en ai des frissons de la tête aux pieds. En m'attardant sur la dernière photo, je me rends compte que Kim Blainville et Lolipop_15 ne sont pas que des amies virtuelles. Elles se connaissent. Elles sont là, toutes les deux, bras dessus, bras dessous, des sourires magnifiques plaqués aux lèvres. Quelle belle paire ! Un autre frisson me parcourt tout entier, juste à imaginer ce que je pourrais faire faire à ces jeunes amies, ensemble.

Je dois leur parler. Chacune, par ses différences, me fait dire qu'elles ne sont pas comme les autres.

Cette différence, j'ai envie d'en faire l'expérience. Sait-on jamais, peut-être qu'une d'entre elles pourra être cette fameuse première fois ?

Je décide de les aborder d'abord séparément, question de ne pas trop m'emballer. En retournant à la fenêtre du forum de discussion, je clique sur le bouton qui me permettra de discuter en privé. Sans perdre de temps, je tape :

Discussion avec Lolipop_15
Lover_boy_18 : Bonjour, toi. J'ai tout de suite été attiré par ta photo. Ouf ! T'es tellement jolie ! ☺

Discussion avec Kim Blainville
Lover_boy_18 : Bonjour, toi. J'ai tout de suite été attiré par ta photo. Ouf ! T'es tellement jolie ! ☺

Aucune réponse de leur part. Pour patienter, je retourne sur leurs pages de profil et regarde encore les photos pendant qu'un millier d'images défilent à un rythme furieux dans ma tête. Le commis du magasin avait raison. Je peux *tout* voir à l'aide de cet écran. En me félicitant de mon achat, je retourne aux petites fenêtres de discussion. Elles n'ont toujours pas répondu. Je soupire longuement, exaspéré. Voilà mon impatience qui revient me titiller. Je recommence mon manège. Je me rends sur chacun des profils, place ma souris sur la photo principale, clique sur le bouton droit et la sauvegarde sur mon bureau. Après quoi, je me rends dans le menu « Démarrer » et clique sur « Mes documents ». À l'intérieur de celui-ci se trouvent plusieurs sous-dossiers, dont un se nommant « Architecture moderne ». Quand je l'ouvre, des dossiers numérotés de 1 à 37 s'affichent.

Ma collection.

Mes trophées de chasse.

Toutes des jeunes filles que j'ai eu le plaisir de connaître et que j'adore appeler par leur nom, dans ma tête. Je me souviens de chacune d'entre elles comme si c'était hier et de ce que nous avons partagé. Je crée deux autres dossiers : un que je nomme 38 pour Lolipop_15 et l'autre, 39 pour Kim Blainville. Ce n'est qu'une question de temps avant que je ne découvre qui 38 est vraiment. J'y glisse les photos et les place ensuite côte à côte. Seigneur Dieu ! Je crois que je vais défaillir si je ne fais pas quelque chose au plus vite.

Je me cambre sur ma chaise et observe avec une jubilation infinie ces visages angéliques. Je détache avec empressement la boucle de ma ceinture en ne lâchant jamais des yeux les clichés et descends ma fermeture éclair pour porter la main gauche à mon sous-vêtement, fébrile, écumant presque.

Ah. J'oubliais. Je me redresse et retourne, face au mur, un cadre dans lequel est placé le portrait de ma femme Anabel et de mes enfants, Benjamin et Marie. Et de un. Et de deux, je retire ma bague prouvant que je suis un homme marié. Voilà, terminé. Je peux enfin remettre ma main dans mon pantalon et rêver doucement à toutes les choses que je ferais à ces petits anges.

Ah, mais attendez ! On dirait que je vais devoir remettre ma séance à plus tard. Kim vient tout juste de répondre.

- 9 -

Les premiers contacts qui scellent le contrat

Je suis en ligne depuis environ une demi-heure, à fermer et à rouvrir mon écran alors que Benjamin et Marie courent autour de moi, dans mon studio. Je ne veux pas qu'ils voient ce que je suis en train de faire. Vivement que leur mère arrive ! Elle devrait être de retour vers quinze heures trente et, alors, elle emmènera les enfants avec elle pour souper chez sa mère. Elle a besoin de temps pour réfléchir à notre avenir.

Le petit carillon accroché à la porte vitrée se fait entendre pendant que la pancarte « Ouvert » se balance de droite à gauche. Elle est enfin arrivée ! Je vais avoir la paix et je vais pouvoir discuter avec la jolie Camille. Elle est en ligne, et j'espère que je ne la manquerai pas, surtout que je la guette depuis la dernière fois, où je l'ai prise pour Kim. Je l'adore ! Elle a quelque chose de différent. De pur, d'immaculé. Je sens qu'elle a l'âme de celle qui ne connaît pas encore les joies de la sexualité. Et, pour elle, les connaître dans les mains d'un maître comme moi serait probablement la meilleure chose qui puisse lui arriver. Oh ! Je ferais mieux de ne pas me créer trop de faux espoirs, car, si mon souhait ne se réalisait pas, je crois que j'en mourrais !

Bon, c'est sûr que Camille ne sait pas que je suis un homme marié, de vingt-neuf ans, avec deux enfants. Mais ça, elle n'a pas besoin de le savoir non plus. Je ne voudrais pas réduire mes chances de la rencontrer... le plus rapidement possible. Je suis complètement obsédé par elle et j'ai envie qu'elle devienne ma petite muse ! Par rapport aux autres filles avec lesquelles j'ai eu de petites expériences virtuelles, elle, je sais d'instinct qu'elle sera la crème de la crème. La cerise sur le sundae. Je me sens comme un designer qui rencontre un modèle faisant foisonner dans son esprit une tonne de vêtements aussi originaux qu'avant-gardistes.

Quelque chose que personne n'a jamais vu.

J'ai imaginé tout un plan pour qu'elle et moi puissions nous voir face à face. Et, si j'en suis les étapes à la lettre, tout ira comme prévu.

Je reporte mon attention sur les dédales de ma vie familiale. Celle qui ne me ressemble pas du tout.

– Bon, les enfants, prenez vos affaires, on s'en va, dit ma femme en me regardant à peine.

– Alors, qu'est-ce que tu penses de mon studio ? je lui demande en me levant et en mettant mes mains dans mes poches. C'est pas encore parfait, mais ça s'en vient !

– Je trouve cet endroit ridicule, je te l'ai déjà dit. Tout comme cette supposée carrière que tu essayes de te donner. Ça pue l'humidité, ajoute-t-elle, comme si ce n'était pas assez, en pinçant son nez de son pouce et de son index. Comment tu espères avoir de la clientèle ? Y a même pas de pancarte qui indique ce que tu fais dans ce trou pourri.

– Je te l'ai dit, Anabel, ce...

– Je ne veux pas l'entendre, fait-elle en levant la main dans les airs pour m'arrêter.

Elle me dévisage une dernière fois de la tête aux pieds, puis prend la direction de la sortie, les enfants sur les talons. Non mais, quelle sorcière ! Dire qu'il n'y a que quelques années de ça, on était follement amoureux l'un de l'autre.

– À plus tard, tout le monde, je leur lance, une fausse mélancolie dans la voix.

J'ai toujours cru qu'Anabel serait celle qui me sauverait de mon penchant, mais les choses ont vite changé lorsqu'*elle* a eu les enfants. Même quand elle était enceinte, je ne la reconnaissais plus. Ses seins, qui étaient auparavant fermes et rondelets, ont été déformés par l'allaitement des jumeaux. Son ventre, précédemment plat et lisse, est maintenant strié de vergetures toutes plus étranges les unes que les autres. Son corps est passé de celui d'enfant à celui de femme et ça m'a complètement traumatisé. Je regardais son corps se transformer tous les jours et plus sa grossesse avançait, plus je savais ce que ça voulait dire pour moi. Je reviendrais à mes premières amours.

Quand tout a recommencé, je me suis demandé pourquoi, au départ, j'avais arrêté. Cette vie m'a tellement manqué ! Et, maintenant, je me sens épanoui !

Lorsque j'entends finalement la porte se refermer derrière ma femme, j'entame rapidement mon petit rituel. Cadre photo, bague, puis j'allume mon écran. Je sens l'excitation monter en moi à une vitesse fulgurante. Camille est toujours en ligne ! Espérons seulement qu'elle est devant son ordinateur et qu'elle n'a pas simplement laissé sa page Facebook ouverte !

> **Étienne**
> Bonjour, toi.

Il n'y a que quelques secondes que j'ai appuyé sur la touche « Entrée », mais j'ai l'impression que ça fait une demi-heure que j'attends qu'elle réponde quelque chose. Peut-être est-elle déjà occupée avec quelqu'un d'autre ? Cette idée me chavire totalement. Je voudrais qu'elle ne pose son attention que sur moi et sur les choses merveilleuses que je pourrais lui faire vivre.

Sur nous. Seulement nous.

Après notre première discussion, celle où je l'ai prise pour Kim, je lui ai envoyé un long message par le biais de Facebook. Je voulais accélérer les choses

« entre nous ». Donc, je lui ai dit que je n'avais pas arrêté de penser à elle depuis la fois où nous étions tombés l'un sur l'autre, par inadvertance. « Quel beau coup du destin ! j'ai écrit. Après avoir parlé avec toi, j'ai vraiment eu l'impression d'être tombé sur une personne tout simplement exceptionnelle qui me comprend. Je sens que je peux tout te dire. » Je trouvais ça parfait, génial, mais, en même temps, j'espérais que ce n'était pas trop. Je ne voudrais pas lui faire peur et perdre ma chance de goûter sa chair...

Quelques minutes plus tard, une réponse apparaît et, avec celle-ci, mon cœur frappe contre ma poitrine comme pour me faire réaliser la tangibilité de la situation.

Je sens que ça va aller. Oui, tout sera parfait.

Camille
Salut, Étienne !

Étienne
Salut, ma jolie ! J'ai cru un moment que tu voulais plus me parler... À cause de mon message sur Facebook...

Camille
Non, non... Au contraire ! J'y ai beaucoup pensé, en fait... Et à toi aussi... 😊

Étienne
Ah oui ?

Camille
Ouais... J'avais peur que tu te tannes d'attendre une réponse de ma part... J'ai tellement été occupée avec l'école que j'ai même pas pris le temps de me connecter. D'habitude, j'le fais tous les jours. Mais ça m'a vraiment bouleversée c'que t'as écrit là-dedans... J'te jure !

J'attends la réponse d'Étienne avec appréhension. Je ne voudrais surtout pas qu'il pense que je le snobais ou que je voulais jouer les difficiles. Loin de là. C'est juste que le fait que mes notes baissaient autant m'a beaucoup inquiétée. Il fallait absolument que je me ressaisisse, même si ça voulait dire couper dans mes heures passées sur Internet...

Étienne
Ah ! Je suis tellement content... Et soulagé ! J'pensais que tu trouverais ça con...

Camille
Non, pas du tout !

Si seulement il savait ce que ça me fait vraiment ! J'ai parlé avec tellement de gars sur Internet, mais c'était toujours assez superficiel. C'est la première fois que je discute avec quelqu'un qui prend le temps d'en apprendre davantage sur moi, qui semble s'intéresser à ce que je fais, à qui je suis. C'est sûr que je ne vais pas le laisser me filer entre les doigts ! J'aime trop comment il me fait me sentir...

Étienne
Ça te dirait de connecter ta webcam ? J'ai vraiment envie de te voir...

Camille
T'en as pas acheté une autre, encore ? J'aimerais ça te voir la binette *live*, moi aussi !

Étienne
Non, pas encore... ☹ Je fais pas assez d'argent à ma job.

Connexion en cours...
Connecté.

Camille
Qu'est-ce que tu fais comme travail ?

Étienne
Je suis stagiaire dans un petit studio de photographie pour un de mes profs. Il commence sa business et, comme il trouve que j'ai du talent, il m'a proposé de venir l'aider. Mais il me paye pas grand-chose. Justement, il me semble que je te verrais bien devant l'objectif. Comme mannequin, je veux dire.

Camille
Oh my God !!! Pour de vrai ?

Je ne lui ai pas parlé de mes aspirations, de peur qu'il me trouve ridicule, surtout après la honte que j'ai dû essuyer chez Model Box. Alors je suis agréablement surprise qu'il m'en parle ! Surtout qu'il travaille et étudie dans le domaine !

Étienne
Ouais ! Pourquoi t'as l'air si étonnée ?

Camille
Ben, je me suis présentée chez Model Box y a pas tellement longtemps et j'me suis fait dire que j'avais pas ce qu'il fallait.

Étienne
Ah ! Oui ! Je les connais, eux, et ils sont vraiment à côté de la plaque ! Ils ont refusé des tas de filles qui sont des top-modèles aujourd'hui. Le premier jour que je t'ai vue, j'ai su que t'avais c'qu'il faut, sans même me douter que ça t'intéressait !

Camille
Je savais que j'devais pas me laisser abattre. J'en reviens pas !

Étienne
T'es vraiment *cute*, Camille ♥ J'te regarde, là, t'es vraiment à croquer.

Camille
Merci... 😀

Oh mon Dieu ! Il est tellement *sweet* avec moi ! Pourquoi est-ce que j'ai dû attendre aussi longtemps avant de le trouver ? J'ai envie de passer ma vie à lui parler !

Étienne
Mon prof aide souvent des filles à faire leur portfolio professionnel. Est-ce que ça pourrait te tenter, toi ?

Camille
Est-ce que t'es sérieux, là ?

Étienne
Pourquoi t'as toujours l'air étonnée ? Sûr que j'suis sérieux !

Camille
Oh my God, oh my God, oh my God !!!!!!! J'vais avoir mon propre portfolio ??? Professionnel en plus ?

Étienne
Ouais !

Camille
Est-ce que tu vas venir avec moi ?

Étienne
C'est sûr que j'viens avec toi. Juste pour m'assurer que tout se passe bien. J'dirais pas non à te voir poser non plus...

Camille
T'es trop cool, Étienne !

Étienne
Hé, hé ! Merci ! Puis, en passant, j'voulais que tu saches que j'ai arrêté de parler avec Kim.

Camille
Ah oui ? Pourquoi ?

Étienne
Premièrement, je la trouvais trop accaparante (elle se prend pour ma blonde !!!) et, deuxièmement, j'ai envie de me concentrer sur toi un peu. J'vois bien que t'en vaux plus la peine.

Camille
Wow... C'est fou comment tu me fais me sentir à l'intérieur, Étienne. Ça me fait capoter ! J'ai jamais ressenti ça avant...

Étienne
C'est parce que personne ne s'est jamais rendu compte d'à quel point t'es fantastique !

Camille
On se connaît presque pas, pourtant...

Étienne
C'est cliché c'que j'vais dire, mais j'vois bien que t'es une petite pierre précieuse. J'ai pas envie de te perdre...

Camille
☺ J'aimerais tellement ça te voir *live*, moi aussi ! Je te jure, j'vais lui parler, à ton prof ! Il va mieux te payer !

Étienne
T'en fais pas. On va se rencontrer en vrai bientôt. J'organise ça et j'te reviens là-dessus.

Camille
En tout cas, c'est peut-être bizarre à dire, mais j't'aime bien, toi...

Étienne
Arrête de baisser les yeux. Sois pas gênée, Camille. C'est correct c'que tu ressens, même si ça fait pas longtemps. Des fois, la vie fait des choses folles comme celle qu'on est en train de vivre en ce moment. Et j'ai la même impression, moi aussi, alors t'es loin d'être cinglée.

Camille
C'est pas ça qu'on appelle des âmes sœurs ?

Étienne
Haha ! Lance pas ça à la blague ! J'ai envie de dire pareil...

Camille
T'es vraiment spécial, Étienne.

Étienne
Ouais, j'ai l'impression qu'on va bien s'entendre, toi et moi.

Près de trois heures plus tard, je referme mon ordinateur et me rends compte que mon cœur n'a jamais cessé de battre à vitesse grand V. Je regarde à l'extérieur et le jour laisse tranquillement place à la nuit. Je me lève et me mets à gigoter dans tous les sens tellement je déborde de bonheur. Mais que savent-ils, pour dire que nous sommes des monstres, eux ? Savent-ils seulement ce que c'est que de se retrouver sous le charme de cette jeunesse, vivifiante et tonique ? C'est un peu comme une bouffée d'air frais mentholé ! Tout le monde en a besoin ! Moi le premier, et je suis certain que, bientôt, l'intangibilité de cette situation ne me satisfera plus.

C'est sûr.

La prochaine fois que nous nous parlons, je lui donne rendez-vous.

Pour passer à l'acte.

Et je compte faire en sorte que ce moment se produise le plus rapidement possible, ce qui devrait être assez facile. Lorsque je le lui ai demandé, sans même hésiter un moment, elle m'a donné son numéro de téléphone. Je n'ai même pas eu besoin de la supplier. Je n'ai eu qu'à dire qu'elle était la plus belle du monde, et ç'a été chose faite.

Elle me mange dans la main !

Oh ! Sublime ! Ce sera tout simplement... sublime !

Elle se vante d'être une petite femme, mais elle ne l'est pas encore. Oh non ! Pas tant que je ne l'aurai pas eue sous la main. Alors là, elle pourra jouer à la reine de la basse-cour et dire à qui veut bien l'entendre qu'elle est finalement adulte.

Femme d'expérience qui s'est donnée à un homme...

Un frisson de désir intolérable m'emplit et j'ai peine à le contenir. Je le laisse donc faire son chemin à travers mes veines. Ressaisis-toi, Étienne ! Il ne faut pas laisser l'excitation t'enlever toute ta rationalité. Il faudra qu'elle ne se doute de rien. Je devrai m'atteler aussi à préparer la mise en scène que j'ai imaginée et qui me permettra de prendre des images dignes d'un Oscar.

Oh ! J'ai tellement hâte !

Dire que, pendant tout ce temps, je me suis contenté de Kim, alors que le monde regorge de jolies jeunes filles, comme Camille, qui ne demandent qu'à m'aider à connaître leur monde !

Kim a peut-être été celle avec qui je croyais finalement passer le pas, mais, maintenant, je sais que je me suis trompé. Ce sera Camille.

Charmante et savoureuse Camille.

Je saute dans mon lit avec tellement d'élan que j'ai peur qu'il cède sous mon poids. Mais, évidemment, rien ne se produit. Il est fait solide. J'attrape monsieur Fluffy, mon ours en peluche que je possède depuis mes trois ans, et le serre contre moi, un sourire gigantesque aux lèvres. Quel moment j'ai passé avec Étienne ! C'était tout simplement FAN-TAS-TIQUE.

C'est fou comme, tout à coup, je me sens vivre ! Vibrante ! Si je m'écoutais, je ferais le tour de la maison pour embrasser tout le monde et dire à chacun que je l'aime. Oui, ça change vraiment tout quand on se sent bien avec soi-même et dans sa peau. J'ai un *kick* sur un gars, mais à la puissance dix ! J'ai... J'ai vraiment l'impression qu'avec Étienne ça va aller plus loin. Je veux dire, plus loin que de la simple amitié. On est tellement complices ! *Cute*, même, j'irais jusqu'à dire. Est-ce que je serais capable d'aller jusqu'à le rencontrer ? Après tout, Kim a rencontré plusieurs personnes sur le Net déjà et tout s'est bien passé. Pourquoi est-ce que je ne pourrais pas faire pareil ? Mais, dans mon cas, le seul bémol, c'est que je ne pourrai en parler à personne, sinon ça exposerait mon secret et ce que je fais... En tout cas, je pense qu'on est encore loin de ça... On verra d'abord comment les choses vont évoluer. Pour le mieux, je l'espère !

Étienne est un gars vraiment unique. Je ne dirais pas non à ce qu'il se passe quelque chose entre nous, peu importe ce que ce sera.

Ah ! Je suis certaine que simplement le rencontrer sera la plus belle expérience de ma vie.

Qui a dit que la vengeance ne menait à rien de bon ?

- 10 -

Qu'est-ce qui ne va pas ?

Nous sommes toutes les trois installées dans un coin reculé de la cafétéria, afin que personne n'entende notre conversation. Premièrement, c'est personnel, et, deuxièmement, en tant que présidente du conseil d'administration des élèves et de la classe, Kim n'a pas envie qu'on la voie dans cet état. Comme elle le dit, c'est mauvais pour son image. Et faut dire qu'en ce moment elle est pas super belle à voir, non plus.

– J'comprends pas ! se plaint Kim. Tout allait tellement bien ! On avait même convenu de se rencontrer ! Pour la première fois ! Il m'avait donné l'adresse du studio où il travaille !

– Peut-être que c'est pour le mieux, Kim. J'sais pas si ç'aurait été une bonne idée, de voir ce gars. Il avait l'air vraiment bizarre ! émet Anouck en fronçant les sourcils.

– De quoi tu parles ? s'énerve Kim. Réveille ! J'serais pas allée là-bas sans t'le dire ! Tu parles comme si j'avais jamais fait ça avant ! J'sais comment ça marche. Tu penses que j'suis stupide !? Qu'est-ce que tu voudrais qu'il se passe ?

Je tente le plus possible de ne pas pouffer de rire. En même temps, j'essaie de garder un visage neutre, pour lui faire croire que je suis de tout cœur avec elle, alors que, dans le fond, c'est tout le contraire. *JE suis la raison pour laquelle Étienne ne te parle plus, parce que JE suis beaucoup plus belle et intéressante que toi,* je chantonne joyeusement dans mon for intérieur. D'une certaine façon, la voir si embêtée me fait tellement plaisir ! Ça lui apprendra !

Kim regarde de droite à gauche pour s'assurer que personne ne pourra l'entendre et s'avance vers nous pour poursuivre.

– En plus, on parlait de coucher ensemble. Avec le temps, on s'est mis à avoir des discussions... assez personnelles. Coucher avec un gars de dix-huit ans, à c'qu'il paraît, c'est ce qu'il y a de mieux. Pas comme avec les p'tits lapins imbéciles de l'école qui ont juste envie de se vider les couilles !

Alors qu'elle chuchotait, elle se met tout à coup à crier. Anouck et moi sommes tellement saisies par son soudain changement de registre que nous reculons.

– Mais qu'est-ce que j'ai fait que j'devais pas ? Hein ? N'importe quel gars normal serait heureux de m'avoir dans son lit ! Non ?

Je roule les yeux au ciel. Quelle prétentieuse ! Même dans la tristesse, elle trouve le moyen de faire l'éloge de sa personne et de ses capacités au lit ? Elle se croit vraiment au-dessus de tout le monde. Alors qu'elle continue de déblatérer une tonne d'âneries, mon téléphone vibre. Sans que Kim s'en rende compte, trop absorbée par ses pleurnicheries, je vérifie l'écran. Il s'agit d'un message texte d'Étienne.

Étienne - 12 h 02
Salut, ma belle,
Je viens tout juste de parler avec mon prof de photographie. Il accepte de faire ton portfolio dans son studio ! Il voudrait que tu passes le 5 juin, dans deux jours, donc.
Voici l'adresse : 25, rue des Marronniers.
J'ai hâte de te voir, jolie Camille ! À ce soir sur le Net, j'imagine ?
xoxoxox

Je réprime un sourire et un sautillement de joie. Je dois au moins lui envoyer une petite réponse, donc je m'arrange pour le faire discrètement. J'adore quand il m'envoie des textos comme ça, au moment où je m'y attends le moins. Ça me fait un petit bonbon dans ma journée.

Camille - 12 h 03
Oh my God ! *Merci, Étienne ! Je savais que t'allais réussir à le convaincre ! Surtout qu'on va enfin se rencontrer ! J'ai trop hâte !! Dans deux jours, ça m'apparaît tellement loin ! J'vais compter les heures, c'est sûr... J't'adore !* ♥

Après avoir pressé sur la touche « Envoyer », je reporte mon attention sur les doléances de Kim, à contrecœur.

– C'est certain que n'importe quel gars qui respire simplement le même air que toi a toute une chance, s'empresse de répondre Anouck pour la rassurer. Ça va aller. T'es tellement belle et intelligente ! C'est sûr que tu vas t'en trouver un autre ! Mieux encore, même !

– Il sait vraiment pas c'qu'il manque ! beugle-t-elle pour se remonter.

Tout à coup fatiguée de la voir jouer les *drama queen*, je l'interromps sèchement.

– Écoute-moi bien, Kim. Va falloir que tu te fasses à l'idée : il veut plus de toi ! C'est pour ça qu'il a arrêté de te parler. Point à la ligne ! Il s'est peut-être rendu compte que vous n'étiez pas faits l'un pour l'autre. Et se faire dire que tu le considérais comme ton chum après seulement une semaine, quand il était pas prêt à entrer dans une relation, ben ça lui a foutu la trouille !

Kim et Anouck me regardent croche. Oups ! J'en ai sûrement un peu trop dit...

– On peut savoir pourquoi tu parles comme si tu connaissais notre histoire ? (Mon cœur commence à battre la chamade.) T'as aucune idée de comment c'était entre nous, alors, la ferme !

Fiou ! Elle ne se doute de rien.

– T'as raison, désolée, dis-je avec une fausse compassion qu'elle remarque à peine.

– Je... J'sais pas quoi faire pour comprendre c'qui s'est passé. J'ai... J'ai jamais été dans une situation comme celle-là avant...

Elle fond en larmes. Je suis surprise. C'est la première fois que je vois Kim pleurer et je n'aurais pas pensé que quelque chose du genre la perturberait à ce point. Après tout, elle a tellement de gars à ses pieds ! Elle a le choix. Alors, pourquoi est-ce que c'est différent avec Étienne ? Je peux vraiment sentir sa peine et ça me fait quelque chose. Je sais ce que c'est d'être rejetée sans savoir pourquoi, alors... Je me surprends même à la prendre en pitié. Pauvre Kim...

Pour démontrer que je l'épaule un peu, je pose ma main sur la sienne. Elle la saisit et me serre très fort, comme si ça lui faisait du bien, et elle me fixe, les yeux pleins d'eau. Même peinée, elle est magnifique... Quand je disais tantôt qu'elle n'était pas belle à voir en ce moment, c'était juste de la méchanceté gratuite. Pleurer, ça ne lui enlève rien. Même que ça la rend beaucoup plus accessible, on dirait. Je me demande quand même comment une fille comme Kim Blainville, à la base super indépendante et enjôleuse, peut se mettre dans un tel état pour un gars. C'est à n'y rien comprendre. Ou, plutôt, c'est qu'Étienne a tout un effet sur les gens. Je suis complètement sous son charme, moi aussi. On se dit des mots doux. Quand j'y pense, je ne sais pas comment je réagirais si, du jour au lendemain, Étienne ne me parlait plus. Je ne pense pas que je le supporterais.

– Qu'est-ce que j'devrais faire, selon vous ? reprend Kim. Est-ce... Est-ce que je devrais lui rendre visite ? Il... Peut-être que j'devrais lui faire une visite-surprise ? Il aimerait ça, hein ?

Anouck et moi nous regardons et secouons la tête.

– J'pense pas que ce soit une bonne idée, ma belle, tente de la convaincre Anouck. On sait jamais, peut-être que tu le trouverais avec une autre et ça ne ferait que te blesser davantage.

Et cette « autre », c'est moi, me dis-je, amère.

– Ouais... t'as raison, j'imagine...

La cloche retentit, signe que l'heure du dîner est terminée et que nous devons retourner en classe. Avant de nous séparer, nous formons un petit cercle, nous prenons par les bras pour ensuite joindre nos fronts. On veut donner un peu de courage à Kim, mais j'ai l'impression que ça nous fait du bien à toutes.

– Une pour toutes..., commence Anouck.

– Toutes pour une ! terminons Kim et moi.

J'ai un pincement au cœur. Je me sens vraiment hypocrite...

Nous nous séparons finalement pour nous rendre à nos cours. Je dois avouer que mon pas est plus lourd. Je commence à sentir le remords me ronger tranquillement de l'intérieur. Ce n'est pas comme si j'avais l'habitude de faire ce genre de coup bas. Pour moi, c'est super positif, parce que je vis le début de l'histoire d'amour à laquelle elle pensait être destinée, donc c'est certain que ça ne doit pas être facile pour elle. Je comprends : je me trouverais probablement dans la même situation si je devais le perdre. Étienne... Il est tellement attachant !

La journée se termine sur un ton un peu moins joyeux. J'avais le cœur léger en pensant à Étienne et à tout ce que nous partageons, mais il y a maintenant une ombre au tableau : Kim. Je me sens affreusement mal pour elle, même si, dans ma tête, elle l'a mérité. C'est vrai ! Non seulement elle a été odieuse avec moi, mais, en plus, il fallait qu'elle se moque de mon meilleur ami... En parlant de lui... Mon Dieu ! Je me rends compte que je n'ai même pas discuté avec Philippe une seule fois depuis que Kim lui a posé un lapin ! Il doit être complètement à terre ! Il faut que je rattrape cette balle, et vite ! Je le néglige beaucoup trop ces derniers temps. Si j'adore Étienne en ce moment, je ne peux quand même pas mettre de côté celui qui a toujours été là pour moi.

En arrivant chez Philippe, je tombe sur son père, qui me dit spontanément qu'il est content de me voir, parce que ça fait longtemps. Ouais... Je n'ose même pas imaginer ce que va me dire son fils ! Je lui demande si je peux entrer, mais il m'informe que Philippe est parti au *skatepark*. Je remercie monsieur

Auger et me sens presque frustrée que Philippe ne m'ait rien dit. Depuis quand est-ce qu'il ne m'invite pas pour *notre* activité privilégiée ? Je perds du temps ! Du temps précieux que je n'aurai pas, tout à l'heure, avec Étienne.

En arrivant finalement sur place, je n'ai pas besoin de chercher bien longtemps avant de trouver mon ami. Il est assis au même endroit que d'habitude, sauf que, cette fois, il n'a pas sa planche. Il a plutôt l'air de tenir... une guitare ?

Je m'avance et m'assois près de lui en lançant un « Salut » sonore qui tombe dans le vide. Il me regarde brièvement et détourne les yeux pour continuer à gratter son instrument.

– Ça va, Phil ?

– J'ai connu de meilleurs jours.

– Qu'est-ce qui se passe ?

– Si t'avais été là ces derniers temps, t'aurais pas à me poser cette question, me dit-il, du reproche dans la voix.

– Bon, OK, je le mérite. Mais je suis là, maintenant. Dis-moi, je fais en le poussant légèrement avec mon épaule.

Je connais Philippe comme si je l'avais conçu moi-même. Il va cracher le morceau sur ce qui s'est passé...

– Ç'a pas marché avec Kim. Elle m'a posé un lapin. Je l'ai attendue des heures au petit resto du coin, comme un con...

– Oh, ça... Ouais, j'sais...

– Tu sais ? Comment ça, tu sais ?

– Ben, elle m'en a parlé.

– Elle t'en a parlé et toi, t'as pas eu le goût de venir me voir pour savoir comment j'allais ? Ça fait presque deux semaines, Cam !

– Je sais, je sais... Mais j'ai été vraiment occupée, je réponds en posant ma main sur son épaule.

Il se dégage.

– Ouais, t'es toujours occupée ces temps-ci. T'as plus de temps pour moi. Tu te fous complètement de c'qui se passe dans ma vie !

Philippe se lève, met sa guitare sur son dos et s'en va en se laissant glisser le long du module. Je me lève à mon tour et fais pareil pour me lancer à sa suite.

– Phil, arrête ! J'me fous pas de toi ! Si c'était le cas, je s'rais pas ici !

Une pluie fine se met à tomber et, en quelques instants, elle se transforme en un véritable torrent. L'eau contre mon corps est glaciale et j'ai l'impression qu'elle pénètre chacun de mes os.

– T'as changé, Camille. J'te reconnais plus du tout. J'pense pas qu'on sera amis encore bien longtemps, toi et moi...

– Dis pas de conneries, Phil !

J'ai prononcé ces mots sur un ton léger, comme s'il venait de me dire une bonne blague, mais lui, il ne rit pas.

– Phil, tu peux pas juste cracher sur notre amitié comme ça. On s'adore, toi et moi, je reprends pendant qu'un vague sentiment de panique s'empare de moi.

– Si t'étais ma vraie amie, tu m'aurais jamais laissé tomber comme ça.

– Non, s'il te plaît, j'ai... J'ai besoin de toi ! T'es mon meilleur ami ! Qu'est-ce que j'vais faire, sans toi ?

– Exactement c'que tu fais en ce moment. Pis j'trouve que tu t'en tires très bien, Cam.

Il prend une grande inspiration, comme s'il lui fallait du courage pour dire ce qui va bientôt franchir ses lèvres.

– J'sais même pas si j'ai encore envie qu'on se tienne ensemble. J'haïs comment tu t'habilles, maintenant. T'as... T'as juste l'air d'une allumeuse... Comme... (il ricane) comme Kim, dans le fond. Pis tu sais quoi, finalement j'déteste vraiment ça. Vraiment !

Des belles filles sans empathie pour les autres, j'ai pas besoin de ça dans ma vie. Elle est où, la Camille que j'ai connue ?

Je ne sais pas quoi dire. Je suis complètement prise de court par ses propos. C'est quoi, on me sert encore mes quatre vérités ? Avant, c'était « tu fais dur, t'as pas d'amis » et, quand je m'arrange finalement et que je deviens un peu cool, c'est trop ? Ça tenterait pas aux gens de se brancher et de me dire ce qu'ils attendent de moi ?

Voyant que je n'ai rien à dire pour ma défense, Philippe poursuit sa route dans le sens opposé, en rentrant la tête dans ses épaules pour se protéger de la pluie. Paniquée à l'idée de le sentir me glisser entre les doigts, ce que je fais ensuite est illogique et probablement une tentative désespérée de le garder auprès de moi. Je cours de nouveau derrière lui et le retourne de toutes mes forces afin qu'il sente dans mon geste le désespoir, mais aussi... l'amour que j'ai pour lui. Je pose lentement mes lèvres sur les siennes. Je prends son visage entre mes mains, pour qu'il reste là, collé à moi, pendant que les gouttes de pluie font des rigoles d'eau sur nos visages. C'est drôle. J'ai l'impression d'être dans cette pub du cinéma. C'est fou comme je sens la vie couler dans mes veines, en ce moment même. Et tout ça grâce à qui ? Philippe ?

Juste au moment où j'en voudrais plus, il me repousse. Je me surprends à penser que j'aurais aimé que ce soit ça, mon premier baiser. Nous restons là, à cristalliser nos regards sous la pluie. Quelque chose monte en moi. Je ne sais pas exactement ce que c'est, mais je n'ai pas envie que ça s'arrête. J'ai l'impression qu'un lien très fort nous unit. Mais Phil s'en va. Il reprend sa route, comme si rien ne s'était passé. Comme si ç'avait été une erreur.

– Tu joues de la guitare, maintenant ? je lui crie pour couvrir le tambourinement de l'averse.

Bien malgré moi, j'essaie de le retenir encore un peu. Philippe se retourne et marche à reculons pour me répondre, soulevant les bras de chaque côté de lui :

– Ça aussi, tu le saurais si t'avais été là pour moi comme t'étais censée.

Et, cette fois, il repart et continue sa route. Pour de bon. Je ne tente pas de le retenir.

Je ne saurais plus quoi lui dire.

Étienne
Qu'est-ce qui se passe ? T'as pas l'air dans ton assiette ?

Camille
J'me suis chicanée avec mon meilleur ami.

Étienne
Ah oui ? C'était à propos de quoi ?

Camille
En gros, je l'ai pas mal négligé ces derniers temps...

Étienne
Ouais, je vois...

Camille
Puis pour, genre, m'excuser, je l'ai embrassé... J'sais même pas pourquoi j'ai fait ça...

Étienne
Hé ! J'pensais que ça allait être moi, le prochain à t'embrasser !

Camille
Je sais ! J'm'excuse ! Je sais même pas c'qui m'est passé par la tête...

Étienne
Pas grave... Est-ce qu'il a aimé ça ?

Camille
J'pense qu'au début oui, mais, après, il m'a repoussée.

Étienne
Quoi ? Il est fou ? Il a la chance d'embrasser une jolie rousse comme toi, soit dit en passant la plus belle que j'ai jamais vue, et il te repousse ? Peut-être que tu t'y es mal prise, aussi.

Camille
Je sais pas... J'ai jamais vraiment embrassé personne, dans le fond...

Étienne
Tiens, j'ai une idée ! Si tu me montrais comment t'as fait ?

Camille
Ben là ! Comment je suis censée faire ça ? Y a personne avec moi !

Étienne
On peut assez facilement arranger ça. ☺

Camille
Sérieusement, j'sais pas c'qui s'est passé...

Étienne
Y a un toutou sur ton lit. Pourquoi tu me montrerais pas comment ça s'est déroulé ?

Camille
Avec monsieur Fluffy ?

Étienne
Oui, pourquoi pas ?

Camille
OK...

Étienne
J'adore ton p'tit sourire en coin, coquine.

Camille
Alors... j'pense que j'ai commencé comme...

Je m'exécute doucement, lentement, pendant qu'un silence d'or plane entre nos écrans. Je ferme les yeux et m'imagine Étienne en train de me regarder intensément, avec de l'envie dans les yeux. Lui, il ne le sait pas, mais j'en fais vraiment beaucoup plus que ce qui s'est passé entre Philippe et moi, tout à l'heure, sous la pluie. Je n'ai pas sorti la langue, pour titiller le bout de ses lèvres, comme je le fais en ce moment avec monsieur Fluffy. Je n'ai pas non plus gémi autant. Mais j'adore me donner en spectacle comme ça. On s'entend, seulement pour Étienne, car, avec lui, tout est différent. Je me sens tellement désirable que ça me donne envie d'en faire plus...

Étienne
Wow. J'aurais vraiment aimé être à sa place.

J'arrête finalement mon manège, souriante. Je serre monsieur Fluffy contre moi et colle ma tête sur la sienne, toute douce, en regardant l'objectif de ma webcam.

Étienne
T'aimes le sexe, Camille ?

Camille
MDR ! :D Ouais... pourquoi ?

Étienne
Si ma webcam fonctionnait, j'ferais des trucs pour toi... T'aimerais ça ?

Camille
Ouais... J'pense bien. 🙂

Étienne
Oh, Camille ! Si seulement tu savais comment tu m'allumes ! J'ai la main sur mon pénis en ce moment. Je dois le retenir, sinon il va faire un trou dans mes pantalons ! J'te jure...

Camille
J'te fais tant d'effet que ça ?

Étienne
T'as pas idée... J'ai quelque chose à t'envoyer. C'est pas moi, mais c'est le genre de truc que je voudrais faire pour toi.

Un fichier apparaît dans notre fenêtre de discussion. Sans trop me poser de questions, je le télécharge. Quelques instants après l'avoir ouvert, je vois un lit. Peu après, quelqu'un apparaît de dos. Cette personne est nue. Nue comme un ver. L'image est coupée de façon à ce qu'on ne voie pas son visage. Une chance ! Cette personne doit être aussi mortifiée que moi en ce moment de se retrouver dans son plus simple appareil devant une caméra ! Lorsque la personne en question, un homme, s'installe sur le lit, sur son flanc, je rougis fortement de le voir comme ça, mais, étrangement, la curiosité me pousse à garder les yeux braqués sur ce qui va bientôt se produire. C'est ridicule, mais mon sang file à une vitesse effrénée dans mes veines et je le sens battre contre mes tempes. L'homme porte la main à son entrejambe et commence à se stimuler doucement. Plus la vidéo avance, plus les gémissements se font assourdissants. Je dois baisser le volume pour qu'on ne croie pas qu'il y a quelqu'un dans ma chambre.

La vidéo se termine abruptement lorsque le gars pousse un énorme geignement. Un frisson me parcourt et, tout à coup, j'ai chaud. J'ai même l'impression que ma petite culotte est humide. Je continue de fixer l'image qui s'est arrêtée. Alors que je me demande ce qu'Étienne fait avec ce genre de vidéos, d'un autre homme en plus, il tape de nouveau quelque chose.

Étienne
Comment tu trouves ça ?

Camille
J'sais pas...

Étienne
C'est normal, chérie, que tu saches pas quoi dire. Tu comprends pas encore. Mais visualise tout ça dans la réalité. Comme si tu étais près de moi. Bien collée. Ce serait bien, non ?

Camille
J'imagine...

Des sentiments ambivalents dansent dans mon estomac en ce moment. Le premier, je l'identifie clairement comme du désir. Je ne peux pas nier que de voir ça a réveillé quelque chose en moi. Le deuxième est le choc, mais je ne le laisse pas trop transparaître. Je ne voudrais pas qu'il pense que je ne suis qu'une petite fille... Mais, quand même, je ne m'attendais pas à voir quelque chose de si explicite.

Étienne
Est-ce que t'aurais quelque chose à m'envoyer, toi ?

Camille
Dans le genre ? Non...

Étienne
Envoie-moi des photos, alors !

Camille
Toutes celles que j'ai, je les ai mises sur Facebook.

Étienne
Tu pourrais en faire d'autres pour moi... J'veux dire... J'ai l'impression qu'il y a quelque chose de fort entre nous. De plus fort qu'avec Kim. Toi, t'es tellement plus compréhensive et, en plus, tu me juges pas, tu me presses pas. J'sens que j'commence à avoir un faible pour toi, ma belle Camille... Si tout va bien, quand on va se rencontrer, j'dirais pas non à être ton chum... 😀 J'pense souvent à toi. Tout le temps, même ! J'ai vraiment envie de te voir sous d'autres angles...

Camille
Je dois avouer que j'ressens des choses pour toi aussi, Étienne...

J'EN REVIENS PAS D'AVOIR ÉCRIT ÇA !

Étienne
Arrête de rougir... C'est correct.

Camille
J'vais faire quelque chose que j'ai jamais fait avant, OK ? Juste pour toi ! Un, deux, trois, go !

Je ferme les yeux avant de relever rapidement mon chandail, laissant apparaître mes seins nus. Il faut que je le fasse vite, avant de changer d'avis. Étant donné qu'il est tard et que je vais bientôt aller me coucher, je ne porte pas de soutien-gorge sous mon haut de pyjama. Donc j'ai pensé qu'il serait content de voir mes seins... Je sais pas, je me dis que ce sera une preuve pour lui que je veux vraiment que ça aille plus loin entre nous. Il le sait, ce n'est pas mon genre de faire des trucs pareils. J'espère qu'il va comprendre le message derrière mon geste !

Wow ! Dans quel état, à part celui-ci, dans lequel je suis carrément en train de tomber raide dingue de ce gars, j'aurais pu décider de montrer ma poitrine pour obtenir ce que je veux de la part de quelqu'un ? C'est fou. Seulement, maintenant, j'ai le sentiment de mieux comprendre ce que voulait dire Kim en affirmant que, quelquefois, il fallait savoir plaire aux garçons pour se faire gâter un peu en retour. Si ma gâterie, à moi, c'est de me retrouver avec un chum comme Étienne, je ne me plaindrai pas du petit malaise passager que cette situation me crée en ce moment même. Il me fait tellement d'effet. Il éveille en moi des sensations résolument sexuelles qui, de toute évidence, étaient endormies depuis trop longtemps. C'est tellement fort, ce que je ressens !

Étienne
Oh, wow, chérie ! T'as pas idée de comment tu me fais plaisir ! T'as les plus jolis seins que j'ai jamais vus !

Camille
J'me sens tellement comme la fille la plus belle du monde avec toi !

Étienne
C'est parce que tu l'es... J'pourrai plus rester si loin de toi encore, Camille... Tu m'excites trop... C'est fou, ma belle... Je sais que t'es vierge, mais... t'as jamais fait quelque chose avec un garçon, si je comprends bien ?

Camille
Pourquoi tu dis ça ?

Étienne
Ça se voit dans la manière dont t'as agi. T'es toute gênée.

Camille
OK...

Étienne
T'en fais pas, c'est pas une mauvaise chose... On pourra remédier à la situation plus tard. Puis, je suis certain que t'aimerais que j'te montre, mon amour.

Camille
J'en doute pas une seconde, mon ange.

Étienne
Hé, tu voudrais pas t'entraîner un peu ? Je pourrais te donner des conseils sur l'art de poser. Comme ça, quand tu vas arriver devant mon prof, il va voir que t'es une pro !

Camille
C'est une super idée, ça !

Étienne
OK. Commence par te déshabiller un peu. Enlève ton chandail et garde seulement tes shorts.

Camille
Enlever mon chandail ?

Étienne
Ouais, pourquoi pas ? Tu m'as bien montré tes seins tantôt !

Camille
Ouais, mais c'était juste pour quelques secondes... Là, tu me demandes carrément de l'enlever.

Étienne
Camille ! C'est moi ! C'est comme si on se connaissait depuis toujours ! T'as pas à t'en faire ! Puis, si tu veux pas de mon aide, t'as juste à le dire.

Camille
Non, c'est pas ça... C'est juste que...

Étienne
C'est juste que quoi ? Tu me fais pas confiance ?

Camille
Bien sûr !

Étienne
Ben, allez, go ! Tu vas être bonne, c'est clair ! J'voudrais juste pas que t'aies l'air ridicule devant mon prof, c'est tout. Puis, regarde-toi, t'es tellement hot !

Camille
OK... Si tu le dis...

Je commence à retirer mon chandail, malgré ma gêne. Étienne est tellement gentil avec moi. Je peux bien faire ça pour lui. Et il veut m'aider, c'est tout. Grâce à lui, j'aurai de plus grosses chances de devenir mannequin et de réaliser mon rêve. Personne ne m'a jamais accordé autant d'attention, avant. Il est si différent des gars que je connais. Et il a dit qu'il voulait être mon chum ! Je n'ai pas à être timide, dans le fond. Je lui en montrerai bien plus quand on se rencontrera finalement, s'il le veut ! Je sens que je pourrais faire n'importe quoi pour lui ! Passer par-dessus ma gêne doit être la première étape...

Étienne
Good ! Ouais... C'est ça, lance ton chandail plus loin. Non, couvre-toi pas... T'es tellement belle...

Mets tes mains sur ta tête, ton visage de côté. Ouais, c'est ça... Oh, wow !

J'vais te croquer comme une petite pomme quand on va se voir. Pour le moment, j'dois y aller. On se reparle plus tard !

Camille
Déjà ?

Étienne
Ouais, pas le choix ! On se reparle bientôt !

Camille
OK ! xoxoxoxoxoxoxoxoxoxoxoxoxoxoxoxoxoxo

Étienne
xo

Étienne est déconnecté.

En fermant le couvercle de mon ordinateur, je recouvre mon visage de mes mains et me mets à rire doucement. Je n'arrive tout simplement pas à croire que je lui ai montré ma poitrine ! Étonnamment, je ne me sens pas si mal après avoir posé ce geste. Je pensais que le regret m'habiterait rapidement, genre « qu'est-ce que tu viens de faire là ! », mais je ne ressens rien. J'ai juste l'impression d'avoir partagé un moment intime avec mon futur chum. J'ai finalement l'impression d'être *quelqu'un* pour *quelqu'un*.

Si Étienne est subjugué par ce que j'ai fait pour lui, moi, je suis ensorcelée par ce que je suis capable de créer chez lui. C'est vraiment toxique comme sensation, comme si j'étais toute-puissante.

Je comprends, maintenant, pourquoi Kim aime tant les garçons.

Je ne prends même pas le temps de faire mon rituel.

Ma main, qui était déjà dans mon pantalon, fait maintenant de rapides mouvements de haut en bas pour me soulager.

Mais je suis tellement excité que je dois m'y prendre à deux mains.

C'est pour cette raison que je lui ai dit que je devais y aller.

Pendant qu'elle bougeait doucement, innocemment, j'avais presque l'impression de voir autour d'elle une lumière blanche blafarde.

Comme celle qui tourne autour des anges.

Camille. Mon ange.

- 11 -
Préambule

Assis à table, entouré de mes enfants et de mon épouse, je mange rapidement ce qu'elle a commandé avec un doigté sans pareil au resto du coin. Tout est disposé dans l'assiette de manière méthodique, de façon à faire croire que c'est elle qui a préparé cet appétissant plat. Elle ne sait pas que je connais son secret. Je la complimente, elle sourit, et je lui dis que c'est excellent. Que c'est probablement le meilleur plat qu'elle ait jamais cuisiné.

Elle me rend mon sourire, certaine que je n'y vois que du feu.

Je voudrais pouffer de rire, mais je me retiens. Franchement ! Elle est bien plus stupide qu'il n'y paraît ! Elle pense vraiment qu'un petit repas va tout arranger ?

Pfff !

Elle est tellement idiote qu'elle ne sait même pas que j'ai une maîtresse.

Une jeune maîtresse que je rencontre aujourd'hui même, en début de soirée. Pour Anabel, c'est une importante réunion qui pourrait bien me faire avoir des contrats de photographie réguliers. Le sourire que ça lui a mis sur le visage ! « Peut-être que, finalement, ça va te mener quelque part, la photo », m'a-t-elle dit.

Le sourire que ça m'a mis sur le visage de m'apercevoir que je suis un as à ce petit jeu !

Ah ! Ma jolie Camille !

Au corps de rêve.

Parfait.

Au galbe franc et prononcé.

À la peau douce.

Je suis certain qu'elle est tout ça. Et bien plus.

J'en rêve.

J'en bave.

J'ai tellement hâte ! Vivement dix-huit heures, moment où la belle Camille sonnera à ma porte.

– On est de bonne humeur, poussin ?

Ma mère s'appuie contre le cadre de ma porte en croisant les bras. Elle m'a sûrement entendue chantonner.

– Tout à fait !

Je continue mon fredonnement en coiffant mes cheveux en une jolie tresse en épi.

– C'est joli, ce que tu portes.

Je me retourne, tout en continuant à coiffer mes cheveux, pour lancer un petit sourire en coin à ma mère.

– Je suis contente qu'on puisse se parler normalement. Ça fait un moment qu'on ne l'a pas fait.

– Ouais, j'sais. C'est vrai que c'est bien. Puis... j'voulais te dire, maman... Je suis vraiment désolée de t'avoir balancé tout ça à la figure, l'autre jour... C'était pas super sympa de ma part.

– Ça va, fait-elle en balayant ma phrase de la main. C'est tout oublié. J'ai été jeune, moi aussi. Je comprends que, des fois, ça peut être difficile de faire sa place.

Je mets un élastique au bout de ma tresse et prends ma mère dans mes bras. Pendant que je savoure ce moment avec elle, je pense à la soirée qui s'annonce. Le 5 juin est finalement là. Il a pris une éternité à se présenter !

Mais, aujourd'hui, c'est finalement le grand jour.

Hier soir, Étienne m'a envoyé un message texte pour me rappeler notre séance de photos *slash* premier rendez-vous. Comme si j'avais pu oublier une date pareille ! Ça fait tellement longtemps que je l'attends ! Quoi qu'il en soit, il m'a dit d'apporter quelques tenues afin de me changer entre les photos, pour pouvoir réaliser plusieurs styles. Il a aussi ajouté que, finalement, il me rejoindrait sur place, alors qu'au départ nous devions nous retrouver une trentaine de minutes à l'avance, question de nous voir un peu avant la séance. Mais il a eu un empêchement : un de ses examens a été déplacé. Je suis vraiment déçue, mais, d'un autre côté, le fait de me voir bouger de manière sexy avant même qu'on puisse se parler plus en profondeur va sûrement l'allumer. Et moi donc ! J'ai même répété quelques poses devant le miroir !

Je me défais finalement de l'étreinte de ma mère et vais prendre mon sac de sport.

– Bon, j'y vais, maman. J'voudrais pas faire attendre Anouck.

– D'accord ! Amuse-toi bien, surtout !

Oh, maman ! Si seulement tu savais !

- 12 -

Programme principal

C'est d'un pas assuré, mais fébrile tout à la fois, que Camille se dirige au 25, rue des Marronniers. En cette magnifique soirée d'été, Internet prouvera qu'en plus de toutes les fantastiques possibilités qu'il offre, il peut détruire des vies. Et, si on pouvait donner une adresse à tous ces moments de notre existence qu'il a gâchés, ce serait sans aucun doute www.détruiredesvies.com. C'est seulement là, en faisant défiler tous ces petits et grands moments d'une vie, qu'on se rendrait compte que des histoires d'horreur, pour une photo lâchée dans le néant du cyberespace ou pour quelques mots tapés sur une page blanche, il y en a beaucoup.

Beaucoup trop.

Au même moment, afin de tirer un trait sur leur *histoire, Kim se rend également au 25, rue des Marronniers, d'un pas déterminé, rempli de colère. Elle s'est mis dans la tête qu'elle devait connaître la vérité. Qu'elle devait savoir ce qui a repoussé Étienne, elle qui a plutôt l'habitude d'attirer les hommes comme on attire une souris dans un piège à rats camouflé par un morceau de cheddar bien alléchant.*

Mais Kim ignore que Camille aussi marche vers le petit studio de photographie d'Étienne.

Mais pour des raisons très différentes.

Camille s'y rend parce qu'Étienne a décidé que le virtuel n'était plus suffisant. Il lui faut maintenant côtoyer la chair. Les os. Le dos. Les cuisses. Bref, il doit rencontrer la jeune fille. Il veut avoir du matériel live. *Mais pas le* live *d'une webcam. Non, non ! En direct ! En direct de la vraie vie, sur une caméra HD, pour une meilleure qualité. Il sait que, de cette manière, il s'attirera l'adulation de ses comparses et que, sans hésiter, on le placera sur un piédestal.*

Camille se présente chez Étienne avec des leggings par-dessus lesquels elle a mis une petite jupe en jeans. Elle a froid et, dans sa camisole aux bretelles spaghetti rose pastel, elle ne peut s'empêcher de frissonner. Devant la porte de ce qu'elle croit être un studio de photographie, elle ressent pourtant une grande chaleur à l'intérieur. Enfin, ses rêves se réaliseront !

Même si une pancarte sur la porte indique « Ouvert », l'incitant par là à entrer, Camille est tellement nerveuse qu'elle donne trois coups contre la porte. À peine a-t-elle ramené sa petite main glacée contre son flanc que la porte s'ouvre, soufflant sur elle une chaleur intense mais apaisante. Vue de l'extérieur, la lumière du petit studio apparaît réconfortante, enveloppante, et l'homme qui lui tient la porte grande ouverte, lui, semble rassurant. Elle ne peut s'empêcher de sourire à celui qui est sans aucun doute son photographe.

Celui qui fera d'elle une star.

– Bonsoir, Camille ! Je suis très heureux de te rencontrer. Je m'appelle Patrice.

Même s'il a appris cette phrase par cœur et qu'il se l'est répétée au moins cent fois, sa voix tremble, comme lorsqu'on sort pour la première fois avec la fille pour qui on a le béguin. Et, même s'il est maintenant un homme mature, Étienne ne ressent ni plus ni moins que ça, pour la jeune fille : un amour adolescent et frais qui lui permettra de redécouvrir l'amour d'un corps jeune et ferme.

– Étienne n'est pas encore arrivé ? demande la jeune fille, pleine d'espoir.

– Non. Mais on va quand même commencer. La salle de bain est au bout du couloir, à droite. Enfile quelque chose de léger.

Camille sourit poliment en se dirigeant vers la salle de bain. Elle souhaite vivement que, pendant qu'elle se change, Étienne arrive et l'attende, son magnifique sourire accroché aux lèvres. Cela la rendrait beaucoup moins mal à l'aise. Patrice a l'air très gentil, mais, elle ne sait pas pourquoi, une drôle de sensation danse lentement dans son estomac et le met tout à l'envers quand elle est près de lui.

Dès qu'elle sort des toilettes, c'est telle une reine que Patrice l'amène dans la pièce qui servira de studio. Le seul contact de la main de la jeune fille dans la sienne le fait frissonner, alors qu'il s'assure qu'elle ne trébuche pas et qu'elle se rend à bon port.

À bon port, ce dont il rêve depuis des années déjà.

Avant que n'arrive le plat de résistance, il faut bien la dégourdir un peu ! Il lui explique donc ce qu'il attend d'elle en baisant doucement ses jolies mains fines, en tournant autour d'elle, comme un vautour. Camille tremble. « C'est le stress ! » se dit-elle.

Il lui demande de se relaxer, de prendre de grandes respirations.

Mais le malaise gagne de plus en plus rapidement la jeune fille, qui se dit pour elle-même qu'elle n'aime pas ça.

– Est-ce qu'Étienne a appelé ? Ça fait un moment déjà qu'il devrait être ici, demande Camille.

– Non. Mais je suis certain qu'il ne va pas tarder, répond Patrice avec un sourire qui se veut bienveillant.

Il voudrait tellement lui crier que c'est lui, Étienne ! Que c'est lui, l'homme avec qui elle a partagé tant de choses ! Mais il se retient. Ce n'est pas le moment. Ce qu'il faut faire, c'est jouer le jeu.

Dans le silence le plus parfait, troublé par les battements de cœur saccadés de Camille, Patrice invite la jeune fille à s'installer devant l'objectif pendant qu'il s'occupe de mettre un peu d'ambiance.

Une petite musique de jazz voluptueuse emplit leurs oreilles.

Patrice lui propose de commencer par les Polaroïd. Lorsqu'elle lui demande de quoi il s'agit, il lui explique

que ce sont des photos qui permettent aux clients potentiels de la voir au naturel. Comme il semble savoir de quoi il parle, c'est sans trop se poser de questions que Camille acquiesce. Après le premier clic de l'appareil photo, elle en oublie presque Étienne.

Camille tente de se donner un genre. Un genre qu'elle associe aux grands mannequins de ce monde. Alors elle place ses lèvres légèrement en cœur, plisse un peu les yeux. Patrice l'encourage : « Wow. C'est parfait. Ne bouge plus. Tu sais vraiment c'que tu fais, dis donc ! » Camille lui répond par un sourire, satisfaite de sa performance.

Après trois ou quatre prises, en ne lâchant pas son appareil Canon des yeux, Patrice lui demande nonchalamment de se mettre en sous-vêtements et de détacher ses cheveux. À ce moment précis, Camille a le sentiment de se cogner contre un mur.

– En sous-vêtements ? demande-t-elle, ses petits yeux écarquillés.

Les pupilles rieuses et pleines de désir, Patrice affirme doucement :

– Oui, oui, en sous-vêtements, ma belle !

Pour l'encourager, il lui explique qu'il s'agit de quelque chose de très routinier. Comme il savait qu'il devrait la mettre en confiance, il a pris le temps d'enregistrer dans les favoris de son ordinateur les liens de plusieurs agences de mannequins où on peut voir de tels clichés. Lorsqu'il les présente à Camille, elle ne trouve plus aucune raison de s'opposer à sa demande.

Avalant avec difficulté sa salive, elle retire ses vêtements.

Une photo de face.

Une photo de côté.

Une photo les cheveux remontés.

Clic, clic, clic !

Tout de même excitée à l'idée de voir le résultat, elle demande à regarder les photos. Il accepte avec joie, sachant qu'elle s'approchera. Une fois qu'elle est à sa hauteur, il en profite pour humer ses cheveux et frémir d'un désir qui devient de plus en plus fort pendant que la jeune fille, elle, se juge jolie, séduisante même.

Il acquiesce.

Elle déborde d'une nouvelle confiance.

Mais cette nouvelle confiance acquise n'est qu'un feu de paille, car, lorsque Patrice lui demande, tout aussi candidement, de se mettre nue, complètement nue, la jeune fille se fige.

Elle hésite.

Il insiste.

Elle hésite encore, mais il la presse d'arguments pour la convaincre.

Puis, tout à coup, il devient plus... insistant.

La pièce qui, quelques instants auparavant, semblait professionnelle à Camille lui apparaît tout à coup comme une prison. Surtout lorsque Patrice s'avance vers elle et qu'il la regarde de haut, une main posée sur son épaule. Elle se sent petite.

Si petite !

Soudain, elle a envie de rentrer chez elle. Mieux, il serait temps d'appeler Étienne.

– J'vais donner un coup de fil à Étienne, maintenant. Il devrait déjà être là.

Intérieurement, Patrice bouillonne. Non ! Elle ne peut pas appeler Étienne, parce qu'Étienne, c'est lui ! Il se tient déjà devant elle. Oh ! Si seulement elle savait ! Mais que fera-t-elle, si elle ne réussit pas à joindre Étienne, qu'elle croit en route ? Décidera-t-elle de partir ? Le plan qu'il a mis des jours à orchestrer se terminerait ainsi, parce qu'Étienne n'est pas là ?

Non. Pas question que les choses se passent ainsi, décide-t-il. Pas question que tout se termine aussi bêtement.

– Étienne est déjà arrivé, Camille.

Une lumière passagère éclaire le visage de la jeune fille. Dieu qu'elle est belle ! se dit-il.

– Ah oui ? J'l'ai pas entendu entrer ! dit-elle en faisant passer ses cheveux derrière son oreille.

– C'est qu'il était déjà là, poursuit Patrice.

Camille fronce les sourcils.

– Comment, il était déjà là ? J'comprends pas.

Alors que les yeux de Camille se remplissent tranquillement d'incompréhension, Patrice décide de risquer le tout pour le tout.

– C'est moi, ma jolie. Étienne, c'est moi, lance-t-il doucement, comme pour ne pas l'effaroucher, en s'avançant vers elle.

La lumière quitte immédiatement le visage de Camille. Tout à coup, son teint devient gris.

– Quoi ?

– Étienne. C'est moi, ma belle.

– Ben non. Ben non, c'est pas toi, Étienne ! De quoi tu parles ! Étienne, c'est un gars de dix-huit ans !

– Je sais, je sais... C'est c'que j't'ai dit parce que j'voulais pouvoir continuer de te parler. J'ai voulu te l'avouer à plusieurs reprises, mais j'avais peur... J'avais peur que tu veuilles plus de moi. J'suis vraiment tombé sous ton charme. J'ai pas pu m'en empêcher.

Camille se sent figée dans le temps. Elle ne peut plus bouger. Les mots de cet homme, qu'elle ne sait plus comment nommer, s'entrechoquent dans sa tête.

Patrice est Étienne ?

Étienne est Patrice ?

Elle recule, il avance.

Elle ne sait plus quoi penser ; surtout, elle ne sait pas quoi dire. Mais, lorsqu'elle est adossée au mur, des mots, très clairs, réussissent à trouver la sortie.

– Avance plus ! Reste là !

Étienne lève les mains dans les airs, comme pour montrer qu'il est inoffensif.

– Voyons, ma belle, c'est moi, Étienne. J'suis la même personne. C'est avec moi que t'as partagé tous ces beaux moments. C'est avec moi que t'as parlé de Phil, de Kim. C'est à moi que t'as montré tes jolis seins...

– Non ! C'est pas vrai ! J'pensais que c'était à un gars de mon âge ! s'indigne-t-elle en croisant ses bras sur sa poitrine pour se cacher un peu. Pas... Pas à toi !

Camille se sent tout à coup horriblement violée. Déshonorée. Comment ce gars qu'elle aimait a-t-il pu lui faire une chose pareille ? Lui mentir comme ça, comme si de rien n'était, et, maintenant, vouloir tout effacer du revers de la main ?

– Mais j't'aime, moi. Et t'aimes Étienne, pas vrai ? Alors, tu m'aimes aussi. J'suis le même gars, juste plus vieux. Mais ça, ça change rien. Dans mon cœur, on a le même âge. C'est pas c'qui compte ?

– Non... non... Tu m'as menti !!! hurle-t-elle avant de se précipiter vers la porte.

Mais Étienne la rattrape et lui bloque le passage en la saisissant par les bras. Camille essaie de se libérer de son étreinte, mais l'homme est beaucoup plus fort qu'elle.

– Allez, reste avec moi, ma belle, l'implore Étienne d'un ton doucereux. Fais pas ton bébé. Tu semblais tellement mature quand on parlait, tous les deux. C'est pour ça que j'ai voulu te rencontrer. J'savais que t'étais différente des autres filles de ton âge. T'es si parfaite, si jolie...

– Laisse-moi partir, s'il te plaît..., le supplie Camille avant d'éclater en sanglots.

Sa voix se brise pour devenir petite. Si petite que, lorsqu'il pose ses mains sur son visage, elle ne se trouve plus de voix, ni de force, pour repousser Étienne. Lorsqu'il baise doucement ses épaules, elle veut mourir. Tranquillement, elle a l'impression de se casser en mille morceaux.

Peut-être que ses larmes réussiront à garder toutes les pièces de sa personne ensemble ?

– Chuuuuuut. Pleure pas, lui dit-il en tentant d'effacer les larmes qui déferlent sans arrêt sur les joues de Camille. Les photos vont être gâchées, si tu pleures. J'vais préparer une petite mise en scène, d'accord ? Peut-être que ça va te mettre plus à l'aise ?

Elle ne répond pas, mais il sort tout de même son matériel.

– Tu vas voir, c'est vraiment cool, c'que j'ai préparé, lui assure-t-il. Enlève donc tes vêtements en attendant. Comme ça, on sera prêts à commencer.

Camille observe l'homme devant elle, incapable de comprendre ce qui est en train de lui arriver. Comment a-t-elle pu être si naïve ? Elle, habituellement si brillante, s'est laissé convaincre, par un gars rencontré sur Internet, de participer à une séance de photos avec un parfait inconnu. Il lui a menti, lui a dit qu'il l'aimait, et elle, elle l'a cru. Pour une fois que quelque chose de spécial lui arrivait, comment aurait-elle pu se douter que ça tournerait si mal ? Et, maintenant, la voilà obligée de faire ce que cet homme lui demande. Cet homme et son regard malveillant posé sur elle.

C'est en pleurant que Camille commence par retirer son soutien-gorge. Elle a déjà capitulé. Les larmes se transforment en torrent lorsque Patrice s'approche et l'aide à retirer ses petites culottes blanches en caressant avec beaucoup trop de ferveur ses cuisses dénudées.

Pendant que les lèvres de la jeune fille tremblent, il s'avance doucement à son oreille pour lui chuchoter :

– Ça va aller, ma belle.

Alors qu'il prononce ces mots, Camille sait que ce n'est pas vrai.

« Menteur », se dit-elle.

Comme il veut se donner corps et âme pour cette première fois qu'il s'est promis de rendre inoubliable pour eux deux, Étienne pousse le jeu grandeur nature plus loin. Il se dit que, si, dans son plus simple appareil, il est difficilement reconnaissable, son visage, lui, ne mentira pas. Il s'est donc procuré, dans une boutique de farces et attrapes, un masque de lapin en latex, très réaliste. Dès qu'il l'a vu, il en est tombé amoureux. Après tout, ce sera peut-être plus drôle pour Camille, aussi. Il trouve que non seulement la mise en scène qu'il a créée autour de celui-ci sera amusante, mignonne et sexy, mais que son côté absurde attirera encore plus de visiteurs.

Excité comme un enfant et souriant à la vie, Étienne se prépare. Pendant ce temps, horrifiée, Camille le regarde mettre des coussins roses sur le sol.

Écœurée, elle le regarde placer un trépied sur lequel une caméra trône.

Paniquée, en état d'hyperventilation avancé, avec la sensation de recevoir un coup de poing en plein ventre, elle le regarde se déshabiller.

Camille tremble de tout son petit corps frêle. Maintenant installée sur les coussins, elle retient ses jambes contre elle, comme une bouée de sauvetage. Elle voudrait hurler, mais une boule est coincée dans sa gorge.

Quand Étienne s'approche d'elle, une décharge électrique la parcourt tout entière. Son corps lui crie qu'il veut rentrer à la maison, mais ses lèvres ne bougent toujours pas. De toute manière, elle sait que, désormais, ce n'est plus une option.

Dans un geste dramatique, Étienne dépose le masque sur sa tête, et il se sent tout à coup investi d'une grande force. Un peu comme si, caché du monde entier, derrière son visage mi-humain, mi-animal, il pouvait faire ce qu'il veut, parce que personne ne peut le réprimander. Le monde lui appartient. Quel sentiment grandiose !

D'une voix pressante, il ordonne à Camille de se coucher sur le dos. C'est à peine si les coussins bougent, tellement elle est légère. Étendue ainsi, les cheveux épars, elle a l'air de flotter sur un nuage.

« C'est magnifique », se dit Étienne.

Ses pupilles sont complètement dilatées, comme sous l'effet d'une drogue puissante. Il ne veut rien manquer du spectacle sublime qui se déroule devant lui.

Camille. De ses paupières s'écoulent des larmes amères qu'elle ne retient pas. Elle n'en a plus la force. Elle est terrorisée et, sous les yeux rouges de ce lapin fou, elle a l'impression de vivre un cauchemar éveillé. Mais les mains d'Étienne sur son corps, qui continuent de l'incendier, lui rappellent que toute cette scène, tout droit sortie d'un esprit tordu, se joue vraiment.

Alors qu'elle sent son pénis tenter de se faire une place dans cet endroit qu'elle trouve bien trop petit, elle se met à vomir, carrément. Elle a la sensation qu'on la déchire de l'intérieur. La mixture chaude et amère recouvre son visage et, lorsque son regard se pose sur Étienne, transformé en lapin qu'elle trouve complètement ridicule, une colère noire digne d'un ouragan de force incommensurable monte en elle. Mais cette dernière n'est pas suffisante pour l'arracher à l'étreinte de cet homme, qu'elle ne reconnaît pas, qui l'aime bien trop, bien mal. Sa seule consolation est la multitude de petites gouttes de vomi qu'elle peut voir dans les grands yeux rouges de la bête. « Moi aussi, au moins, j'aurai souillé mon agresseur », se dit-elle.

Comme si ce n'était pas assez, les choses se compliquent et deviennent encore plus vilaines. De l'autre côté de la rue, les mains dans les poches, le regard intense, Kim cherche le courage d'entrer dans le petit studio. Un groupe de jeunes déambulant bruyamment la déloge du trottoir. Elle le voit comme un signe. Une fois à l'intérieur du bâtiment, elle se dit pour elle-même : « Sors de ta cachette, peureux. »

En avançant dans le studio sombre, Kim entend des pleurs. Des pleurs qui lui semblent appartenir à un enfant. Elle se laisse guider par le son lugubre. Elle tombe sur une porte entrouverte. Elle la pousse lentement.

Quand elle met un pied dans la pièce, elle veut prononcer son nom.

« Étienne ? »

Mais aucun son ne sort de sa bouche.

Penché au-dessus du corps d'une fille qu'il parcourt gloutonnement, un lapin géant demande à cette dernière de faire un beau sourire.

Elle, toute nue, rechigne en disant sans cesse qu'elle veut rentrer chez elle.

Kim réfléchit très vite : « Qu'est-ce que Camille fait ici ? »

La jeune fille reste bouche bée, sans savoir quoi faire. Personne ne se rend compte de sa présence dans la pièce jusqu'à ce que, délicatement, le regard de Camille dévie des yeux de son agresseur pour tomber dans ceux de Kim.

Cette dernière remarque que dans les yeux de son amie, où une peine sans nom fait rage, toutes les teintes de vert sont sans vie. Et il en sera ainsi pour très longtemps.

Le lapin géant nu se tourne dans la direction de la visiteuse. Elle a un mouvement de recul lorsqu'il s'arrache la tête et écarquille les yeux en disant son nom : « Kim ? »

C'est à ce moment-là qu'elle prend la fuite.

Tandis qu'elle court à l'extérieur, un million de questions se présentent à une vitesse folle dans sa tête. Elle tombe et perd ses sandales. La plante des pieds maltraitée par de petits cailloux, elle a l'impression d'entendre Camille crier son nom au loin, mais elle ne s'arrête pas un instant, même si, dans la voix de son amie, elle sent le désespoir.

Toute cette situation est drôlement ironique, car, maintenant, il est facile d'identifier la pute de qui on profite afin de tout mettre sur vidéo. I got what you want, drop that pussy bitch, film it, film it, this bitch wants me to film it...

Comme dans la chanson.

- 13 -
Panique au village

– Merde ! Merde ! Merrrdeeee !!!

Pendant qu'Étienne crie inlassablement, tremblant de tout mon être, je m'extirpe discrètement des coussins. Une peur abominable me tord les entrailles alors que des larmes glissent silencieusement sur mes joues et que j'essuie les commissures de mes lèvres. Je veux juste qu'il ne me remarque pas. Qu'il m'oublie. Comme ça, je vais avoir le temps de me rhabiller et de m'en aller, sans regarder en arrière.

Exactement comme l'a fait Kim.

Je tremble tellement que je prends un temps fou, nue, à quatre pattes, à rassembler mes vêtements. J'agis très lentement, parce que je crains que mes tressaillements soient si violents qu'Étienne m'entende. Je ne voudrais pas qu'il revienne à la charge, car honnêtement, je n'ai aucune idée de ce qu'il pourrait faire.

En continuant ma recherche à tâtons dans l'atmosphère feutrée et tamisée de ce studio de photographie, je me demande ce que Kim pouvait bien faire là. En même temps, je me rends compte que, si elle n'était pas venue, je ne sais pas où tout ça se serait rendu. Elle m'a ni plus ni moins sauvé la vie. Un autre frisson me parcourt et un sanglot remonte le long de ma gorge. Je fonds de nouveau en pleurs.

Je veux ma maman. Je ne me trouve même pas ridicule de le penser. Je veux que ça se termine, au plus sacrant.

– OK, OK, Étienne. Calme-toi. Calme-toi, se murmure-t-il pour lui-même, les deux mains sur la tête. Ça va aller.

À peine ai-je remis mes petites culottes qu'il se tourne vers moi. On dirait un fauve qui vient de repérer une proie dont il ne fera qu'une bouchée. Je ferme les yeux et appréhende le pire. Mais je les rouvre rapidement lorsqu'il vocifère :

– Allez... Ramasse tes affaires et fous l'camp !

Il fonce vers moi et, à ce moment-là, je suis certaine qu'il va me tuer. Je recule en me traînant les fesses sur le sol pour tenter de lui échapper, même si je sais pertinemment que, bientôt, je serai adossée au mur. J'essaie simplement de retarder l'inévitable.

– C'est toi qui as dit à Kim de venir ici, avoue ! Tu voulais détruire ma vie ! aboie-t-il.

– Non ! J'le jure ! je plaide, terrorisée et affolée.

– Sale petite menteuse ! Tu voulais seulement me créer des problèmes ! J'aurais dû m'en douter ! dit-il en me tenant fermement, tellement que je suis certaine que ça laissera des marques.

– Non, arrête ! Tu me fais mal ! Je t'aimais, moi, Étienne !

– Arrête de mentir ! Si tu m'aimais, t'aurais fait ce que j'te demandais sans chigner ! Si tu m'aimais, t'aurais jamais dit à Kim de venir ici !

Il me traîne vers la sortie. Mes orteils touchent à peine le sol, que je vois rapidement défiler. J'ai l'impression que, s'il me lâche, l'impact sera aussi grand que s'il me laissait tomber d'une voiture en marche à cent kilomètres à l'heure.

Une fois la porte ouverte, il me jette carrément dehors, même si je suis très peu vêtue. Comme si j'étais un vulgaire sac à ordures. Il me catapulte le reste de mes affaires au visage.

– Va-t'en, sale petite garce ! Et ne reviens pas !

Humiliée, je ramasse mes vêtements et tente de me rhabiller tant bien que mal, avant que quelqu'un ne me remarque. Après m'être sommairement vêtue, je commence à marcher lentement, de profonds sanglots oppressant toujours ma poitrine.

Malgré la douceur exceptionnelle de ce début de soirée, j'ai terriblement froid. C'est comme si on venait de me jeter dans les eaux de l'Antarctique.

Je croise les bras contre ma poitrine et me frotte vigoureusement les mains pour me réchauffer. Tout le monde me regarde comme si j'étais folle. Et ils n'ont peut-être pas tort. Je suis là, au milieu du trottoir, à trimballer mon sac défait, dans lequel je n'ai pas eu le temps de remettre mes effets, pieds nus, le regard vide et sans expression.

Il y a des tessons de bouteille sur le sol. Même si je regarde droit devant moi, je le sais, car je les sens faire des entailles sous mes pieds. Malgré tout, la douleur est plus ou moins tolérable. Rien n'est comparable à ce que je viens de vivre.

J'ai mal au cœur. J'ai peur. Qu'est-ce qui se passe ? Tout était sous contrôle, pourtant. Non ? Alors, comment est-ce que j'en suis arrivée là ?

Je suis complètement désorientée. Je ne sais pas où donner de la tête. Je me sens fatiguée. Je voudrais me coucher et m'endormir pour ne plus me réveiller. Pourtant, je suis consciente que, si je me laissais aller, là, à même le sol, mes paupières closes me montreraient probablement le cauchemar qui s'est joué il y a quelques instants à peine. J'ai le sentiment que je ne devrais pas être ici, en train de me promener, la mort dans l'âme. Je devrais me confier à quelqu'un, je devrais avoir des bras autour de moi pour me serrer fort et me rassurer.

Par contre, c'est difficile de penser qu'après ça tout sera comme avant. Comment ça pourrait l'être ?

– J'vais le tuer ! J'vais le tuer ! rugit Nikolas, les poings serrés, faisant les cent pas dans la pièce. C'est qui, Étienne ?

– Non ! Arrête ! Je... J'sais pas !

– Non mais, c'est une blague ? Pourquoi tu pleures sans arrêt, alors ? Dis-moi c'qui s'est passé !!!

– Non !

Je suis rentrée à la maison dans un état épouvantable. J'avais les cheveux en bataille, le maquillage qui coulait, les vêtements qui semblaient être passés dans une déchiqueteuse. En entrant, je pensais trouver ma maison vide, car ni la voiture de papa ni celle de maman n'étaient dans l'allée. Mais, finalement, je suis tombée nez à nez avec Nikolas.

Je place mes mains sur mes oreilles, pour ne pas avoir à entendre ce qu'il aboie depuis tout à l'heure. Je l'ai déjà vu en colère, comme le jour où j'ai brisé son modèle réduit en bois sur lequel il travaillait depuis des semaines, mais cette hargne-là, je ne l'ai jamais connue.

Samuel revient dans la pièce.

– Je viens d'appeler papa au travail. Il arrive.

– T'as quoi ??? je m'informe auprès de Samuel en le regardant comme s'il venait de m'annoncer ma mort.

– Maman revient du cinéma, aussi. Je l'ai textée en disant que c'était urgent.

– *Good.* J'appelle la police, maintenant, poursuit Nikolas.

– Non, arrête ! T'es complètement fou ??? je crie à mon frère en tentant de lui arracher le téléphone. Tu sais même pas c'qui se passe !

Il me repousse et je m'écrase au sol. Il gueule, tel un chien enragé :

– Toi, assis !

Je ramène mes jambes contre moi, comme pour me rassurer. J'entends des clés dans la serrure et j'ai presque l'impression de percevoir au loin des sirènes de voitures de police. Je dois être en train de divaguer.

Ça va être la merde. La grosse merde.

Nikolas n'a jamais appelé la police. Papa est arrivé avant qu'il ne puisse le faire, et c'est lui qui s'en est chargé plus tard.

Je fais semblant de dormir pendant que ma mère et mon père parlent de moi dans le couloir. Je n'entends pas ce qu'ils disent, mais je sais très bien que ce n'est rien de joyeux. Surtout pas après la longue nuit que nous venons de passer...

Au départ, je ne voulais rien dire. Mon père était hors de lui parce que je m'entêtais à me taire. Je pense que c'est surtout l'impuissance qu'il ressentait qui le mettait dans une telle colère.

Finalement, ma mère est arrivée. Quand elle m'a vue, assise dans le fauteuil, sous le choc et en larmes, elle s'est jetée à mes pieds en me caressant doucement le visage et m'a demandé ce qui se passait. Enfin, un peu d'amour et de tendresse dans la tempête ! Elle a exigé de mon père qu'il se calme ou fiche le camp. C'est à ce moment-là qu'il est sorti griller une cigarette.

Ma mère m'a entraînée dans ma chambre, mes frères sur les talons, mais elle leur a fermé la porte en plein visage. Elle savait que, ce moment, nous devions le passer entre nous. Entre mère et fille. Et puis, je crois que je n'aurais jamais pu raconter tout ça à quelqu'un d'autre.

Nous nous sommes installées sur mon lit, assises en tailleur, l'une en face de l'autre. J'ai posé ma couverture sur mes épaules et j'ai pris monsieur Fluffy entre mes mains, pour jouer avec ses oreilles. Puis je me suis mise à parler. À certains moments, ma mère m'a interrompue pour me poser des questions, comme si elle voulait être certaine de ne rien manquer du récit et de tout comprendre. Quand j'en suis arrivée à la partie concernant mes discussions avec Étienne, puis à la séance de photos, ses yeux se sont remplis d'eau et elle a plaqué sa main contre sa bouche. Qu'est-ce que j'avais mal de la mettre dans cet état ! Je me sentais comme une merde. Rien de moins.

Lorsque je me suis finalement tue, je m'attendais à ce qu'elle me sermonne, me demande si j'étais folle, si j'étais tombée sur la tête, si je prenais de la drogue. Mais elle n'a posé qu'une seule question :

– Est-ce que tu es certaine de tout ça, ma chérie ?

On aurait dit qu'elle ne voulait pas me brusquer, qu'elle ne voulait pas que je me referme comme une huître. Ce que je venais de raconter était trop gros. Il faut dire que nous n'avions pas été proches depuis un bon moment. Je me suis donc levée et j'ai ouvert mon profil Facebook et la page donnant sur tous les échanges que j'avais eus avec Étienne par Skype. Elle a pris place à mon bureau. Je me suis appuyée contre la fenêtre et je l'ai regardée faire défiler devant ses yeux les conversations, les photos, les vidéos que j'avais envoyées, celles que j'avais reçues. J'avais presque l'impression de voir tous ces mots et toutes ces images se coller sur ses rétines et y laisser une marque indélébile.

Et plus elle lisait, plus ses yeux s'affolaient.

Sans crier gare, elle s'est rapidement relevée et s'est pris la tête à deux mains en faisant le tour de ma chambre. Elle respirait fort. Très fort. Elle s'est passé une main sur le visage, en mettant l'autre sur son cœur, le regard perdu dans le vide. Puis elle a commencé à se taper la poitrine du plat de la main, comme pour marquer le rythme de son agonie. J'aurais voulu m'approcher d'elle et la toucher, mais j'avais peur de la réaction qu'elle aurait. Donc, je suis restée dans mon coin. Lorsqu'elle s'est mise à hurler, en penchant son corps vers l'avant, comme si une douleur atroce, dure et cruelle l'écartelait, je me suis laissée glisser le long du mur, chancelante, encaissant avec peine sa plainte, qui semblait infinie.

La porte s'est ouverte en coup de vent. Mon père a saisi ma mère par les épaules et lui a demandé ce qui se passait. Elle l'a regardé dans les yeux, triste, amère. Puis elle a soulevé le doigt, lentement, comme l'aurait fait un enfant dans un film d'horreur pour montrer où se cachait le Bonhomme Sept Heures. D'un pas lourd, mon père s'est rendu à l'ordinateur. Dans ses yeux, j'ai perçu l'appréhension qu'il éprouvait. Il n'est pas resté assis très longtemps. Il est sorti de la pièce et est revenu quelques instants plus tard s'asseoir sur mon lit avec le téléphone. Il a composé seulement trois chiffres. Même si je ne les voyais pas, je savais desquels il s'agissait.

– Ma... Ma fille... Je crois bien qu'elle a été victime d'un cyberprédateur. Que... Qu'est-ce que... Qu'est-ce que je dois faire ?

J'étais toujours dans mon coin, adossée au mur. Maman, elle, était maintenant à genoux au beau milieu de ma chambre et elle s'enserrait de ses bras, à défaut de quelqu'un d'autre pour le faire. Ce que disait doucement papa au téléphone ne me parvenait que par bribes.

Dans ma tête, je ne me répétais qu'une seule phrase : « Je maudis le jour où j'ai voulu être comme tout le monde. »

- 14 -

Oh, oh !

Dès le lendemain, de retour chez moi, j'ai repris tranquillement mon calme en me disant que je n'avais aucune raison de m'en faire. Aucune. N'importe qui d'autre aurait probablement considéré qu'il était temps de plier bagage, mais moi, je suis bien trop fin finaud pour ça. J'ai paniqué un instant, c'est vrai, mais je vois bien que je n'avais pas à le faire. Si, par exemple, Kim décidait de s'adresser à la police, Camille l'en dissuaderait, car je suis certain que, pour elle, il ne faut pas que cette histoire se rende aux oreilles de ses parents. Donc, je suis sauf.

Ce fut une drôle de première fois. Mais la prochaine sera la bonne. J'ai manifestement surestimé Camille, aveuglé par mon désir de nouvelles expériences. Lorsque je leur raconterai mes faux pas, les autres, en tant que témoins de la situation, sauront me dire où j'ai mal fait mes calculs. Alors, je ne pourrai que mieux réussir la prochaine fois et accéder au piédestal qui m'est destiné.

Pour me changer les idées, je décide d'aller prendre l'air. Je pourrais même appeler Anabel et la surprendre au bureau avec un lunch, tiens ! Je prends mes clés sur la console se situant dans le couloir et cale une casquette sur ma tête. Satisfait de l'image que me renvoie le miroir, je m'avance vers la porte pour mettre le pied dehors lorsque je m'aperçois, étonné, que quelqu'un est là, à m'attendre.

– Monsieur Prévost ? Étienne Prévost ?

Coincé, je ne trouve rien d'autre à faire que de confirmer d'un signe de tête. Qu'est-ce que je pourrais bien faire d'autre ? Tenter de me sauver ? Me mettre à pleurer ? Non, ce serait complètement ridicule de ma part. Je ne suis pas stupide. Ils ont déjà parlé à Camille. À Kim aussi, si ça se trouve. Je me sens idiot : j'aurais si mal prévu le coup ? Camille a bien plus de *guts* que je ne le pensais !

Cet officier, la main posée sur son arme, veut me faire comprendre qu'il est paré à toute éventualité. Je prends une grande inspiration.

– Oui ? je réponds le plus normalement du monde.

– Vous êtes en état d'arrestation. Vous êtes soupçonné de leurre d'enfant et d'agression sexuelle.

– Quoi ? Mais c'est ridicule !

Il faut bien que je joue un peu. Juste pour la forme. En me passant les menottes, l'agent récite son texte.

« Monsieur Prévost, vous êtes en état d'arrestation. Vous avez le droit de garder le silence... » Les mots continuent de s'échapper de ses lèvres, mais je ne les écoute pas parce que je les connais très bien. Les gars du forum, ceux qui se sont fait prendre, en ont parlé tellement de fois ! Tellement que j'avais le sentiment de le vivre avec eux. Et, maintenant que ça m'arrive à moi, je sais à quoi m'attendre.

Je donne peut-être l'impression de capituler, mais je sais pertinemment que je n'ai rien fait de mal. Nous étions tous deux consentants et je serai capable de me laver de tous soupçons lorsqu'ils analyseront froidement la preuve. Quand elle est venue me rejoindre dans mon studio et que je lui ai présenté le type de photos que je voulais faire, Camille *savait* à quoi s'attendre. Elle *savait* que ça nous mènerait à batifoler de manière sexuelle. Mais, juste au cas où, j'ai un bon avocat. Ça peut toujours jouer en ma faveur, ça aussi.

En m'éloignant de la maison, escorté par le policier, je regarde autour de moi. Certains de nos voisins sont sortis et se demandent ce qui se passe. Je suis bien connu de tous comme Étienne, le papa gâteau vivant dans la maison du cul-de-sac, qui joue toujours avec ses enfants. Quand ils apprendront ce qui s'est passé, ils seront bouche bée. Si jamais, en plus, la presse a vent de cette histoire et qu'elle rapplique ici, je vois déjà les journalistes interroger le plus grand des imbéciles du coin. « Pourtant, y semblait un homme tout à fait normal ! Il a des enfants, une femme... J'le sais ben pas c'qui a pu se passer ! »

Cette image me fait sourire.

Après une nuit et un avant-midi interminables, j'ai été relâché sous promesse de comparaître au tribunal, à une date ultérieure. Pour le moment, les chefs d'accusation qui pèsent contre moi sont ceux de leurre d'enfant et d'agression sexuelle. Je dois respecter plusieurs conditions, dont celle de ne pas entrer en contact avec mes supposées victimes et avec des personnes de moins de dix-huit ans, incluant mes enfants. Je n'ai plus le droit d'utiliser un ordinateur ni Internet. Tout mon matériel a été saisi.

J'ai suivi les conseils de mon avocat. Je me suis directement rendu dans un hôtel, afin de laisser la poussière retomber. De laisser l'eau couler sous les ponts. Bref, il a utilisé toutes les expressions du genre pour me faire comprendre de me faire oublier, même de ma femme. En tout cas, c'est certain qu'avec ça, je m'attends à recevoir les papiers de divorce bientôt.

Je m'installe sur le lit surfait de l'hôtel et allume la télé. Sur la table de chevet, mon téléphone intelligent me fait de l'œil.

Dans les conditions de libération qu'ils ont énumérées, ils n'ont jamais dit que je ne pouvais pas l'utiliser... Mais c'est certain que je ne respecterais pas mes conditions en allant sur Internet.

Je prends ce risque.

Dieu merci pour ces petites machines à l'écran limpide comme une rivière vierge ! Je me crée rapidement un nouveau compte sur Twiig, totalement différent de celui que j'avais auparavant. En faisant quelques recherches, je tombe sur le profil de cette jeune fille. Elle est tout simplement magnifique. Avec ses yeux bruns, couleur d'une terre riche et florissante, elle donne vraiment envie de se lancer corps et âme dans l'aventure qu'elle offre.

Je sélectionne l'option permettant d'engager une discussion et une nouvelle fenêtre s'ouvre.

Nouvel_homme
Bonjour, toi. J'ai tout de suite été attiré par ta photo. Ouf ! T'es tellement jolie ! 🙂

- 15 -

Une amitié pas si solide que ça

Trois semaines plus tard...

Depuis cette journée fatidique où tout a été exposé au grand jour, je suis prisonnière d'un tourbillon qui n'a pas encore pris fin. Je rencontre des professionnels de toutes sortes, en plus de la police. Pourtant, avec autant de personnes autour de moi, je ne me suis jamais sentie aussi seule. J'ai l'impression que personne ne sait ce que je vis vraiment.

Le plus dur dans toute cette histoire a probablement été de découvrir que, pour Étienne, j'étais loin d'être aussi spéciale qu'il le laissait entendre. Ce que je veux dire par là, c'est qu'il parlait à des tonnes d'autres filles. Pas juste à Kim. À d'autres encore. C'est ma mère qui me l'a appris, deux jours après que tout s'est produit. Quand je l'ai vue entrer dans ma chambre, cet après-midi-là, je savais que c'était pour m'annoncer une mauvaise nouvelle. Même si j'en avais eu mon lot, il y avait encore de ces nouvelles que je ne pouvais prendre sans ciller. Elle est allée droit au but :

– Je viens de parler avec l'enquêteur chargé de ton dossier. Tu n'as pas été la seule victime de cet homme. Il y a eu Kim, mais d'autres jeunes filles aussi. Il m'a dit qu'il y avait des tonnes de conversations et de photos sur son ordinateur et que...

– Ça va, pas la peine d'en rajouter... J'veux pas l'entendre.

Ma mère a posé sa main sur ma tête, mais je me suis rapidement écartée pour que le contact ne soit pas trop long. À ce moment-là, j'éprouvais, et j'éprouve encore, des difficultés avec les contacts physiques. Je voulais qu'elle s'en aille. Il n'y avait rien à ajouter. De toute manière, dans cette situation, les mots auraient été de trop. Elle a donc quitté ma chambre et je me suis tranquillement couchée sur mon flanc, dans mon lit, en prenant bien soin de placer la couverture sur ma tête. J'avais l'impression qu'elle me protégeait. Mais cette sensation de protection n'a pas duré bien longtemps, et ce, même si je tentais de me convaincre que tout allait bien. Je me le répétais sans cesse : « Ferme les yeux, ça va aller, ferme les yeux, ça va aller, ferme les yeux, ça va aller. » Plus je le disais rapidement, plus je sentais ma respiration partir en vrille. Je fermais les paupières comme pour me concentrer sur les commandes que j'essayais de transmettre à mon cerveau, mais rien n'y faisait.

J'avais l'impression de devenir folle.

J'ai fait virevolter la couverture par-dessus ma tête à toute volée. Je cherchais mon air. J'avais besoin de me défouler, alors je me suis jetée sur mes draps, que je me suis mise à arracher de mon lit, prise d'une colère sans nom. Chaque fois que je percevais une résistance, comme le drap-housse coincé dans la courbe du matelas, c'était comme une pause qui me ramenait instantanément à ce moment où Étienne posait ses mains sales sur moi, où il descendait son caleçon pour me pénétrer, en me regardant avec ses énormes yeux rouges, où Kim entrait dans la pièce et ne faisait rien pour m'aider. Alors, comme pour encaisser la douleur qui me terrassait, je poussais des hurlements terribles.

Quand il n'y a plus rien eu sur mon lit pour me libérer de la rage qui s'était accumulée en moi, je me suis rabattue sur les effets qui se trouvaient dans ma commode. En découvrant la trousse de maquillage, j'ai carrément perdu le nord. Je me suis sentie investie de la mission de détruire cette chose qui était la preuve irréfutable que j'aurais dû rester fidèle à moi-même depuis le départ. Si je l'avais fait, rien de tout ça ne serait arrivé. C'est là que ma mère est entrée dans la pièce de nouveau. Elle a tenté de m'arrêter, mais je lui ai servi une bonne bourrade qui l'a envoyée valser au sol. Elle a été surprise, mais elle est immédiatement revenue à la charge. Elle s'est placée derrière moi et elle m'a serrée dans ses bras de toutes ses forces, en me disant que tout irait bien. Moi, je lui criais qu'elle était une menteuse.

– Ressaisis-toi, Camille ! Ressaisis-toi ! Tout ce que tu peux faire maintenant, c'est te battre. Te battre pour essayer de retrouver un semblant de vie normale. On va tous essayer de retrouver une vie normale, mais il faut que tu commences par te pardonner !

– J'ai mal, maman ! J'ai mal ! Tellement mal ! je continuais de beugler tout en me débattant comme un diable dans l'eau bénite.

– Je sais, mon poussin, je sais ! m'a-t-elle dit, la voix brisée. Mais on est tous là. On est tous là avec toi.

Peu à peu, je me suis calmée et, peu à peu, je nous ai senties doucement glisser au sol. Une fois assises sur le plancher, nous nous sommes enlacées. Quelques minutes plus tard, ma mère s'est relevée et a refait mon lit. Puis, comme lorsque j'étais une petite fille, elle m'a soulevée pour me coucher. Elle a remonté mes couvertures jusque sous mon menton et s'est assise près de moi.

– Je vais avoir besoin de temps, moi aussi, m'a-t-elle confié pendant que des larmes roulaient sur son visage. Moi aussi, je vais devoir trouver un sens à tout ça, pour savoir comment te protéger. Je...

Elle a plaqué une main sur sa bouche comme si elle ne pouvait plus parler. Elle m'a souri entre ses larmes et est sortie.

Couchée sur le dos, je me suis mise à réfléchir. J'avais quinze ans. Selon moi, ce n'était plus à ma mère de me protéger. Je considérais que j'étais assez grande pour le faire moi-même. Mais, de toute évidence, je devais encore être reléguée au rôle de petite fille : j'avais prouvé à mes parents qu'ils ne pouvaient plus me faire confiance.

Je me suis encore mise à pleurer, mais doucement cette fois. J'étais tiraillée entre deux sentiments opposés : l'amour et la haine. D'une certaine manière, je comprenais pourquoi Étienne ne m'avait rien dit à propos de son âge. Et, franchement, je peux dire sans sourciller que, pour les premiers moments que j'ai vécus avec lui, avant la séance de photos, je suis contente qu'il ne m'en ait pas parlé. Parce que ç'a vraiment été les meilleures minutes de toute ma vie. J'aimais cette partie de lui. Je prends même conscience que, lorsque je ramassais mes vêtements, je souhaitais vraiment qu'il se calme et revienne vers moi pour me dire qu'on venait de rêver, tous les deux, que ce n'était pas vrai. Qu'à partir de ce moment-là, il prendrait le visage juvénile que je lui connaissais. Ça m'apparaissait comme le meilleur dénouement à cette histoire invraisemblable. Mais, dans le fond, à la seule pensée qu'il puisse encore me toucher, j'étais plongée dans un profond état de terreur. Cet Étienne, je ne le connaissais pas.

Je ne sais pas combien de temps je suis restée là à pleurer, mais mon oreiller était complètement détrempé. Je n'avais probablement plus aucune larme dans le corps. J'ai tenté de me remémorer les moments où il avait pu me laisser des indices quant au mensonge qu'il avait tissé. La webcam en était probablement un. Mais, sinon, à part ça, qu'est-ce qui aurait pu me mettre la puce à l'oreille ? Rien. J'étais simplement une fille qui auparavant n'était personne et qui, enfin, pensait qu'elle était en train de goûter aux joies d'une relation avec le sexe opposé. Bref, j'étais comme toutes les filles de mon âge.

Je n'ai pas encore réussi à trouver un sens à toute cette histoire, mais j'ai l'impression que j'aurai besoin de mes amis pour le faire. De personnes de mon âge qui pourront comprendre mes états d'âme. Et ces personnes ne sont pas mes frères. Ils sont encore enragés et affirment: « Si jamais j'le vois, j'lui casse les couilles ! » Pour le moment, ça ne sert à rien de parler avec eux. Aujourd'hui, je me suis donné deux missions : réparer mes erreurs auprès des mousquetaires, mais aussi auprès de Philippe.

Ces derniers temps, ma bicyclette est devenue ma meilleure amie. Elle me permet de prendre l'air et de réfléchir tranquillement à ce qui s'est passé dans ma vie. D'ailleurs, c'est elle qui m'accompagne chez Kim.

Je monte les marches qui me séparent du porche et je reste devant la porte, pétrifiée, sans savoir ce que je dirai lorsqu'elle s'ouvrira. Mon cœur bat très vite et, si je l'écoutais, je détalerais. Par contre, ma raison me dicte de mettre les choses au clair, de poser des questions. De tenter de savoir pourquoi, tout à coup, le « une pour toutes, toutes pour une » ne semble plus avoir de valeur. Au cours des trois dernières semaines, les filles m'ont carrément évitée et elles ont ignoré mes appels. Mais là, ça suffit. J'en ai assez.

Pour leur défense, j'imagine qu'il n'y a pas vraiment de mots quand on est dans une situation aussi déglinguée que celle que Kim et moi avons vécue. Je me dis que, si j'ai été traumatisée par ce qu'Étienne m'a fait vivre, ça ne doit pas être évident non plus pour Kim, qui en a été le témoin direct. Je me demande ce qu'elle peut penser. Nous n'avons pas eu la chance d'en parler et, franchement, j'ai peur de ce qu'elle va me dire.

Je ne m'en suis pas rendu compte, mais, en réfléchissant, j'ai finalement donné trois légers coups contre la porte. Elle s'ouvre. Lorsque la mère de Kim réalise que c'est moi qui me tiens devant elle, son visage se ferme. Fini les « bonjour, ma belle, entre ! ». Si elle le pouvait, elle me giflerait probablement.

– Qu'est-ce que tu fais ici, Camille ?

– Je... J'suis venue voir Kim.

– Je n'ai aucune envie que Kim et toi vous fréquentiez encore.

Franchement, ce n'est pas à elle de prendre cette décision.

– Ce s'ra pas long... J'voudrais seulement...

– Je ne veux pas que ma fille tourne autour d'une petite dépravée sexuelle comme toi, compris ?

Son commentaire me scie les jambes et me touche exactement là où il le fallait. En plein cœur.

Mais, bien vite, la tristesse qui me transperce à cause des mots qu'elle vient de me lancer se transforme en colère. Je me demande si madame Blainville est au courant de *toute* l'histoire. Ne sait-elle pas que c'est sa petite fille chérie qui m'a introduite dans ce monde qui a bien failli m'avaler au complet ? Je n'ai aucun doute sur le fait que Kim lui a raconté seulement ce qu'elle voulait entendre, afin de s'innocenter dans cette situation des plus épineuses. C'est probablement pour cette raison que sa mère a dit à mes parents, il y a deux semaines, que sa fille n'avait aucune raison de porter plainte, étant donné que cette histoire ne la concernait pas. Kim est vraiment une menteuse manipulatrice. En plus, je me rends bien compte que son histoire de mère malade était bidon. Dans le fond, je savais qu'elle me mentait toujours, mais j'ai passé par-dessus parce que je voulais être son amie.

Prenant mon courage à deux mains, j'ignore volontairement ce que la mère de Kim vient de dire, car je suis loin d'avoir envie de me justifier. Puis, ce n'est pas avec elle que j'ai des choses à régler.

– Je voudrais seulement voir Kim, madame. On doit se parler.

D'énormes veines pulsent dans mon cou. Je les sens. On dirait qu'elles vont exploser. Aucunement coopérative, la mère de Kim se met à hurler, appelant son conjoint à la rescousse. Des larmes se logent sous mes paupières et je comprends bien que toute cette tentative de rédemption ne donnera rien. Si ça se trouve, Philippe ignorera ma demande de venir me rejoindre chez moi, lui aussi. Découragée, au moment où je me décide à rebrousser chemin devant cette mère transformée en louve protégeant sa progéniture, Kim fait son apparition.

– Maman, arrête. On va aller dans ma chambre.

– Pas question qu'elle entre ici ! Pas question !

Kim se rapproche de la porte pendant que sa mère décide d'aller chercher son mari qui, manifestement, n'entend pas son appel.

– Va au parc. J'y serai dans quelques minutes, me chuchote-t-elle.

Je la regarde droit dans les yeux pour la première fois depuis longtemps. Je ne sais pas ce qui s'y trouve. Il n'y a plus l'excitation de voir une des trois mousquetaires, ou l'envie de me raconter ses moindres secrets. On dirait que je ne la reconnais plus. Moi qui pensais la connaître par cœur, voilà que je découvre un pan d'elle que j'aurais préféré ne jamais entrevoir.

Une vingtaine d'interminables minutes plus tard, une Kim à la tête baissée arrive au parc. Elle est accompagnée d'Anouck. Ça doit être pour cette raison que ç'a été plus long. Kim porte un énorme kangourou avec le capuchon remonté sur la tête, plutôt que les vêtements colorés qui la caractérisent d'habitude. C'est à peine si on voit son visage. Elles s'arrêtent finalement à ma hauteur et Anouck prend la parole.

– Salut, Camille, c'est bon de te voir, lance-t-elle avec un gentil sourire.

– Toi aussi.

Un silence plane entre nous, lourd de reproches. Personne ne sait par où commencer. Je m'en veux vraiment et, si tout ça est arrivé, c'est ma faute. En partie, du moins. Je veux tout avouer aujourd'hui, mais je veux aussi que Kim reconnaisse ses torts. Je ne suis pas la seule à avoir le mauvais rôle, ici. Je décide de ne pas laisser ce silence s'installer confortablement. Sinon, ça ne finira jamais. Toutefois, Kim me devance.

– Comment ça va, Camille, depuis... J'veux dire... Est-ce que t'es...

Soulagée qu'elle prenne de mes nouvelles, je me laisse aller.

– Non, ça va pas, Kim, je l'informe en retenant de toutes mes forces mes sanglots.

– Tu penses que ça va, moi ? renchérit-elle rapidement. Puis, qu'est-ce que tu foutais au studio où travaille *mon* Étienne ?

Je voudrais lui rire en pleine face, mais je n'ai pas le cœur à le faire. Elle va bientôt savoir qui était *son* Étienne et je ne suis pas certaine qu'elle va l'apprécier.

– J'suis désolée, Kim ! J'pensais pas que les choses déraperaient comme ça !

– Qu'est-ce que tu veux dire ? demande cette fois Anouck en fronçant les sourcils.

Bon. La partie où je dois avouer mes erreurs arrive bien plus rapidement que prévu. Autant m'en débarrasser le plus vite possible. Ensuite, Kim pourra faire de même et me dire qu'elle s'excuse d'avoir été si méchante avec Philippe et de m'avoir fait sentir comme une moins que rien. Je prends une grande inspiration. J'ai l'étrange sensation de me lancer dans le vide et on dirait que personne ne me rattrapera quand je serai près du sol. C'est loin d'être une partie de plaisir.

– Il y a quelque chose qui me pèse depuis trop longtemps et je crois que c'est le temps de mettre les choses au clair entre nous, si on veut préserver notre amitié, je commence par dire.

Les filles me regardent, de l'incompréhension dans les yeux. Je déteste cette situation, mais je n'ai pas le choix. Malgré tout, j'adore Kim et Anouck, et je me rends compte que je n'ai jamais pris le temps de le leur dire. Je le regrette, parce qu'il est peut-être trop tard, maintenant. Ce serait vraiment affreux si notre histoire se terminait et qu'elles n'apprenaient jamais combien je leur suis reconnaissante.

Je prends une grande inspiration avant de poursuivre.

– Si j'étais là où travaillait Étienne, c'est que... le jour où vous êtes allées prendre le matériel pour la présentation orale, des alertes Messenger se sont mises à sonner sans cesse sur ton ordi, Kim. J'en avais assez de les entendre, alors... alors je suis allée voir... Entre le fait que t'aies dit que j'étais juste un vulgaire chien de poche et c'que tu pensais à propos de Philippe, j'étais furieuse, vraiment enragée noir contre toi, t'as pas idée comment. Donc, j'ai voulu... Au départ, j'voulais seulement me venger en découvrant l'identité de ton fameux chum, puis ç'a fini que... je suis tombée sous son charme. J'voulais t'le voler, Kim... Pour te faire mal. Pour te faire ressentir la même chose que moi. Fallait que tu saches que t'étais pas intouchable ! Fallait que t'apprennes ta leçon ! Puis... Étienne m'a fait croire que tu lui avais dit tous mes secrets ! J'voulais ta peau ! Avec le temps, il m'a convaincue de faire des choses parce qu'il disait qu'il étudiait en photographie, et tu sais à quel point j'avais envie d'être mannequin ! Quand je suis allée au studio, c'était la première fois qu'on se rencontrait pour de vrai. Au final, je me suis rendu compte qu'Étienne nous avait menti, Kim. Il n'a pas dix-huit ans. Mais vingt-neuf. Et c'est lui qui m'a agressée...

Kim me regarde, tremblante, alors qu'Anouck s'est couvert la bouche de la main.

– C'est pas vrai, lâche-t-elle faiblement. Étienne a dix-huit ans.

– Non, vingt-neuf, Kim. Penses-y ! Il n'a jamais voulu te parler par webcam, pas vrai ? Il ne t'a jamais envoyé de photos de lui, à part celle qu'il y avait sur ses profils ? Pas vrai ?

Kim baisse la tête, comme si elle réfléchissait à ce que je viens de lui dire. Tranquillement, l'information semble faire son chemin dans son esprit.

– Si seulement tu savais comment j'me sens par rapport à cette situation ! je continue. À cause de ce qui est arrivé, mais aussi à cause de c'que j'ai pu te faire subir pendant toutes ces semaines... Mais... je... J'voulais juste me sentir belle et cool. Comme toi...

Ni Kim ni Anouck ne reprend la parole. Par contre, je peux voir que la respiration de Kim s'est accélérée par le mouvement de sa poitrine qui descend et remonte rapidement. Anouck, de son côté, a l'air désolée et dépassée par ce que je viens de raconter. Lorsque je dirige de nouveau mon regard vers Kim, tout ce que je suis en mesure d'apercevoir, ce sont ses mains tendues vers l'avant qui cherchent à se poser sur mon cou.

Nous nous effondrons toutes les deux sur le sol et elle me griffe au visage comme un chat enragé. Au début, j'ai presque envie de me laisser faire parce que je comprends sa peine. Mais je me secoue assez vite lorsque je prends conscience que, si ce n'avait pas été de moi, Kim aurait assurément été à ma place. Et peut-être que, cette fois, il n'y aurait eu personne pour la sauver. Elle aurait été celle qui se serait aperçue de toute la supercherie. Elle ne s'en rend peut-être pas compte, mais je lui ai sauvé la vie. Non seulement sans moi elle aurait pu mourir, mais, en plus, je lui ai épargné un monde de douleur infinie, celui qui m'engloutit en ce moment même. Donc non. Je ne me laisserai pas faire par ses faux ongles grotesques. Avec une force que je ne me connaissais pas, je renverse la situation. Alors qu'elle était sur le dessus, je la fais habilement passer sous moi et la maintiens fermement au sol en la retenant par les poignets.

– Lâche-moi, espèce de dingue ! Lâche-moi !

Alors qu'elle continue de m'injurier, je décide que j'en ai assez entendu, qu'elle ne dit que des âneries depuis le jour où elle a décidé de m'adresser la parole. C'est à ce moment que quelque chose en moi se rompt. Je serre mon poing de toutes mes forces et le soulève dans les airs, prête à l'écraser sur sa gueule de petite prétentieuse. Mais Anouck intervient.

– Non ! Camille, ne fais pas ça ! m'implore-t-elle, affolée. Tu vas le regretter !

Mes ongles s'enfoncent dans ma peau et mon poing tremble alors que j'ai désespérément envie de le laisser s'abattre sur le visage de Kim. À plusieurs reprises, de préférence. Ça me ferait tellement de bien ! Juste pour renvoyer au fond de sa gorge toutes ces choses horribles qu'elle a pu dire à mon sujet et à propos de Philippe aussi. Quand je me décide enfin à laisser place à cet instinct primitif, je sens Anouck me pousser vigoureusement de côté et je m'écrase au sol. Libérée, Kim se relève rapidement.

– T'es une crisse de mongole toi, hein ! J'ai jamais parlé de tes p'tits secrets stupides ! Et j'ai jamais fait de cochonneries avec lui, contrairement à toi ! J'me respecte plus que ça !

– Et c'est pour ça que tu m'as demandé de garder pour moi les choses que t'as faites avec mon frère ? je lui crache sur un ton sarcastique.

Elle rougit jusqu'à la racine des cheveux, mais elle ne se laisse pas démonter.

– Tu veux que j't'en dise une bonne, Camille Samson ? J'ai jamais voulu être ton amie. Jamais ! La seule raison pour laquelle j'suis venue t'aider ce jour-là, à ta case, c'est que j'voulais éviter que t'utilises c'que j'avais fait avec ton frère contre moi. J'avais aucune autre raison de m'associer à quelqu'un d'aussi poche que toi ! J'arrive pas à croire que ça fait des semaines que tu me caches ça ! Tu sauras qu'Étienne et moi, on avait mieux à faire que de parler de toi et de ta p'tite vie pathétique ! J'étais en train de tomber amoureuse et tu me l'as chopé ! Avant moi, t'étais rien, et c'est comme ça que tu me remercies ?

– Kim, Anouck, dis-je en regardant chacune d'elles, sans vous, je n'aurais probablement pas vécu les meilleurs mois de mon existence, mais j'voulais pas tout ça ! J'voulais juste de bonnes copines et rencontrer l'amour ! J'pensais que c'était ce qui arriverait, Kim, quand tu m'as aidée à m'inscrire sur ces sites, mais, si tu l'avais pas fait...

– Ta gueule ! Ferme-la ! s'époumone-t-elle. J'ai rien à voir là-dedans ! Compris ? C'est toi qui as été assez stupide pour te laisser prendre dans des histoires pareilles !

– Tu veux dire que c'est ma faute ? Que c'est ma faute s'il m'est arrivé tout ça ? je m'informe en la regardant dans les yeux, outrée qu'elle me tienne responsable de toute cette histoire.

– Oui ! crie-t-elle. Si tu t'étais mêlée de tes affaires, ça te serait jamais arrivé ! Si t'avais pas essayé d'être autre chose que c'que t'es, ça te serait jamais arrivé !

– Non ! Tu sais comment ce serait jamais arrivé ? Ce serait jamais arrivé si j't'avais pas rencontrée ! J'aurais préféré mourir que de me faire prendre en pitié, ce jour-là, devant ma case !

– J'pense la même chose, espèce... espèce de p'tite merde ! T'es juste une traînée ! Voilà c'que t'es ! Sale pute !

Chaque mot prononcé est comme un coup de poignard supplémentaire dans mes plaies déjà à vif. Je voudrais crier ma rage, mais, tout à coup, je me sens lasse.

– T'as fini, là ? je lui demande.

Elle me regarde, déconcertée par ma question, comme si elle s'attendait plutôt à ce que je pleure ou que je m'agenouille pour lui demander pardon et lui dire qu'elle a raison.

– Oui ! finit-elle par me cracher au visage. Félicitations, Camille. J'espère que tu vas apprécier ton temps sous les *spotlight* à ma place.

Sur ces mots, elle quitte le parc, Anouck sur les talons, qui a observé la dernière scène, muette comme une carpe. Pourtant, avant de partir, elle me regarde et mime de ses lèvres un faible « je suis désolée ». Elle rattrape ensuite Kim pour mettre un bras réconfortant autour de ses épaules.

Et moi ? Qui va me réconforter ?

– Qu'est-ce que tu fais là ? je l'interroge, essoufflée par la course contre moi-même que j'ai faite avec ma bicyclette.

Je voulais essayer de laisser toute cette peine derrière moi.

– J'ai eu ton message, tête de nœud, me répond Philippe. J'ai aussi entendu parler de ce qui s'est passé.

Son visage devient plus sombre. Je n'ai pas l'habitude de le voir comme ça. Ça me fait bizarre, mais, en même temps, ça me touche de savoir que ce qui m'arrive l'inquiète. J'imagine que c'est ça, la définition d'un vrai ami. Peu importe ce qui se passe dans ta vie, il est là. Probablement pour la millième fois aujourd'hui, je fonds en larmes. Tout de suite, Philippe se lève et m'enserre de ses bras, d'abord doucement, mais je lui fais vite comprendre qu'il doit m'étreindre plus fort. Très fort, pour que le sol arrête de se dérober sous mes pieds. Très fort, pour que j'arrête d'avoir l'impression que je vais exploser. Je me rends compte que j'en avais besoin. Ça me fait vraiment du bien. Ma tête se blottit contre son épaule et je me sens comme à la maison.

– Allez, viens, on rentre, me dit-il.

J'obéis et il pousse la porte de ma maison comme si c'était la sienne. Ma mère nous accueille.

– Ah, te voilà enfin ! Y a longtemps que je t'attends, dit-elle en resserrant contre elle sa veste de laine défraîchie.

Lorsque ma mère porte cette veste, je sais que quelque chose l'inquiète. On dirait que cette vieille laine la réconforte.

– Est-ce que ç'a donné le résultat escompté ? me demande-t-elle, sachant où je me suis rendue.

Je lui fais simplement un signe de la tête et elle comprend aussitôt. Elle m'envoie un faible sourire compatissant que je ne lui rends pas. J'ai bien trop mal. Philippe lui dit que nous allons nous asseoir dans ma chambre. Ma mère n'en fait pas grand cas. Elle lui témoigne une confiance aveugle et elle a raison de le faire.

Philippe me raconte ce qu'il a entendu entre les branches, à l'école. Mais il me laisse aussi raconter ma version des faits. Il demeure très calme tout au long de mon récit, même quand je lui parle de ce que m'a fait subir Étienne. En tout cas, il essaie de rester froid et stoïque, mais je vois ses mains trembler, un tic qu'il ne réussit jamais à contrôler lorsqu'il est en colère.

Lorsque j'ai finalement vidé mon sac, il pousse un long soupir et se frotte les cuisses de ses mains.

Il cherche par où commencer. Je m'attends à ce qu'il me parle d'Étienne et de la relation malsaine qu'il a établie entre nous, mais ce n'est pas du tout le cas.

– À part pour lui, comment ça va ?

– Qu'est-ce que tu veux dire ? je demande, surprise.

– J'vois bien que t'es pas dans ton assiette. T'as perdu du poids... T'as les traits tirés... Tu fais peur à voir, Cam.

En temps normal, je lui aurais envoyé un oreiller à la figure pour qu'il regrette ses dernières paroles. Mais je n'en fais rien. De toute manière, je n'en ai pas la force et encore moins le goût. À cause de mes nombreuses conversations avec Étienne, je ne dormais déjà pas beaucoup ces derniers temps. Par nuit, je pouvais compter trois ou quatre heures de sommeil, dans le meilleur des cas. Mais, maintenant que la vérité a éclaté au grand jour, je ne dors tout simplement plus. Évidemment, mes performances à l'école s'en ressentent et ce n'est vraiment pas le moment, étant donné que nous sommes en période d'examens. Ce serait vraiment poche si je devais reprendre mon année...

Je ne dors plus parce que je me bats constamment avec ma tête pour qu'elle arrête de ruminer sans cesse toute cette histoire. Je me surprends à penser que j'aurais dû me rendre compte du stratagème d'Étienne. Je ne suis pas stupide, quand même ! Lorsque quelqu'un te dit constamment qu'il t'aime bien, que tu l'allumes et qu'il ne pense qu'à toi, pourquoi est-ce que tu te mettrais à croire que ce n'est pas sincère et qu'il le fait simplement pour profiter de toi ? Il n'y a pas de raison ! Je suis certaine que n'importe quelle jeune fille dans ma situation se serait simplement dit que c'est comme ça que les choses prennent forme. Vite et de manière enflammée. Comme dans les films, lorsque la fille et le gars tombent amoureux au premier regard et qu'ils finissent dans le même lit, quelques scènes plus tard. C'est parce qu'ils s'aiment. Alors, pourquoi les choses seraient-elles différentes, dans ma vie à moi, quand je finis par vivre mon conte de fées tant désiré ?

Je pousse un bruyant et long soupir. Si je croyais que ma quête de l'amour était omniprésente dans mon esprit, ce n'était rien en comparaison de cette histoire, qui est venue anéantir mon moral. Savoir qu'on a été trompé est le pire des sentiments. C'est certain qu'il y a les blessures physiques, comme celles causées par l'agression sexuelle dont j'ai été victime, mais je sais qu'avec du temps, beaucoup de temps, je serai en mesure de guérir. C'est pour le côté psychologique que je m'inquiète davantage. Comment suis-je censée faire confiance à un garçon, après ça ? Et, si on met de côté Étienne, j'ai vraiment aimé l'expérience d'Internet. Mais, aujourd'hui, je sais que je ne laisserai plus jamais un garçon me parler de sexe de prime abord ou me demander de lui envoyer des photos de moi dénudée. Même si c'est cool, même si c'est à la mode. Ça n'a jamais été moi et je regrette amèrement de m'être laissé prendre à ce jeu si aveuglément. C'est fou de penser que, de nos jours, c'est la norme. La normalité. Et peut-être que la normalité est en train de faire de nous, les filles, des putes genre « nouvelle génération » ?...

Quoi qu'il en soit, je pense que mes escapades sur le Net seront plus espacées, ou du moins contrôlées. Mes parents surveillent désormais mes moindres faits et gestes. J'ai dû dire bye-bye à l'ordinateur dans ma chambre et au forfait Internet de mon téléphone. Je ne m'en plains pas trop. C'est un stress de moins. Je n'ai pas la constante impression que je dois tout surveiller, même si, des fois, je me dis que je le devrais. Même si tout le matériel informatique d'Étienne a été saisi, je n'ai aucune idée d'où mes photos ont pu aboutir...

Voyant que je me mure dans le silence, Philippe décide de reprendre la parole :

– Est-ce qu'il y a quelque chose que j'peux faire pour t'aider ?

– Juste le fait que tu sois là, ça me fait du bien.

– Moi aussi, avoue-t-il. Tout ce temps que t'as passé à m'éviter à l'école, ça m'a fait mal. Enfin... jusqu'à ce que j'me rende compte de ce qui se passait vraiment... On se connaît peut-être pas depuis une tonne d'années, mais j'ai envie qu'on soit amis encore longtemps, Camille Samson, malgré ce que j'ai pu te dire y a pas longtemps.

Je lui fais un faible sourire, même si je voudrais que celui-ci soit aussi large que le bonheur qu'il vient de créer dans mon cœur.

– Tu sais quoi ? je reprends.

– Quoi ?

– J'pense qu'il y a un truc que tu pourrais faire pour m'aider, finalement.

– Tout c'que tu veux, s'empresse-t-il de répondre.

– J'aimerais beaucoup que tu m'accompagnes au palais de justice.

Philippe me regarde avec compassion, visiblement touché par ma demande. Je jurerais qu'il a les yeux mouillés, mais je ne dis rien. Je ne voudrais pas que son orgueil se manifeste et gâche le moment, parce que le voir comme ça, c'est beau.

– Ce sera avec plaisir, Cam.

- 16 -
Rapprochements et procédures

Certains hommes ont des harems. Les vedettes ont un *entourage*. Moi, je ne saurais pas comment appeler toute « l'équipe » que j'ai autour de moi, mais cette histoire en a mobilisé, du monde. Avec la fin des cours, que j'ai miraculeusement tous réussis, j'ai arrêté de voir la travailleuse sociale de l'école, mais je continue d'en rencontrer une au CLSC de mon quartier. Mes parents aimeraient que, bientôt, je voie un psy, mais je n'ai pas encore accepté. Pour couronner le tout, j'ai aussi l'aide d'une intervenante au CAVAC* avec qui je me prépare assidûment à mon passage en cour, date qui arrive à grands pas.

Pour ce qui est du côté amical, ça n'a pas trop changé. Philippe continue d'être mon unique ami. À vrai dire, je croyais vraiment qu'Anouck continuerait d'être de mon bord et de me soutenir dans cette épreuve. Mais je me suis trompée. L'emprise que Kim a sur elle est bien trop grande. D'ailleurs, elle m'a appelée

---

* Centre d'aide aux victimes d'actes criminels.

à ce sujet. Elle sentait probablement qu'elle devait justifier sa loyauté indéfectible. Elle m'a donc expliqué que le fait qu'elles soient amies depuis si longtemps les unit beaucoup. Elles ont toujours été là l'une pour l'autre, surtout dans les moments plus difficiles, comme lorsque Anouck a perdu sa mère aux griffes du cancer du sein. Kim l'a soutenue jusqu'au bout. Elle sent qu'elle doit lui rendre la pareille. Je respecte ça, même si ça fait mal. J'imagine qu'elle trouve son compte dans cette relation, comme moi je l'ai trouvé pendant un certain temps. En tout cas, c'est ainsi que je prends conscience que c'est dans les épreuves les plus difficiles qu'on réalise qui sont nos véritables amis.

Évidemment, j'ai aussi le soutien de toute ma famille. Même mes frères se sont adoucis avec moi. De toute manière, ils n'ont pas le choix. Je suis incapable de tolérer la plus infime bassesse, quelle qu'elle soit. Même Nik a arrêté de tourner autour de Kim. Quand je l'ai appris, je lui ai dit que je m'en foutais, mais, dans le fond, c'est vraiment réconfortant de voir que mon frère m'a choisie, moi, plutôt qu'elle. Je m'aperçois qu'il est derrière moi, malgré nos différends. Ça fait chaud au cœur.

Et, bien sûr, il y a mes parents, et ils vivent cette situation chacun à leur manière. Ma mère mieux que mon père, je dirais. Lui, il joue la carte de « ce n'est qu'une mauvaise passe et tout est rentré dans l'ordre ». Dans sa tête, maintenant que les procédures judiciaires sont entamées, il n'y a plus rien à craindre. *Je vais bien* et les fautifs seront punis pour leur geste. Mais je pense qu'il se rend compte autant que moi que c'est loin d'être le cas. La route va être encore très sinueuse.

Maman, elle, s'est mise à faire le plus de recherches possible sur le phénomène dont j'ai été victime. J'imagine que ça lui permet de se mettre autre chose dans la tête que les images tordues qu'elle a vues de sa propre fille...

On cogne à ma porte. J'invite ma mère à entrer. Je dis que c'est ma mère parce que, maintenant, elle attend avant de pénétrer dans ma chambre. Elle est la seule à le faire. Les autres, eux, entrent dans ma chambre, comme si les événements récents m'avaient fait perdre le droit à ma vie privée, alors que c'est dans ces moments difficiles que j'en ai le plus besoin. C'est comme s'ils voulaient avoir accès à moi à tout moment, parce qu'ils *doivent* s'assurer que je vais bien... En tout cas, même si je n'ai plus rien à cacher, c'est drôle : plus que jamais, maman me laisse mon intimité.

– Salut, dit-elle en entrant et en fermant la porte derrière elle.

Je lui souris. C'est notre rencontre mère-fille qui va débuter. On a commencé ça un peu à l'improviste, il y a quelque temps, mais c'est devenu une petite tradition entre nous. Les premiers jours, lorsque ma mère venait dans ma chambre, je ne faisais que pleurer et elle me caressait doucement les cheveux en me disant « je suis là ». Par contre, plus le temps avance, plus on est en mesure de se dire les vraies choses. C'est drôle de constater que nous n'avons plus aucun secret l'une pour l'autre, maintenant.

Elle vient s'asseoir sur mon lit. Fidèles à nos habitudes, je prends place contre la tête de mon lit, parmi mes coussins, et elle s'assoit en face de moi.

– Ça va ? me demande-t-elle.

– Bof, comme d'habitude. Y a juste papa qui m'énerve un peu. Il a passé la fin de semaine à venir jeter un coup d'œil dans ma chambre toutes les deux minutes, pour être certain que ça allait.

Ma mère rit faiblement.

– Il ne faut pas lui en vouloir. Il fait de son mieux.

– Je sais.

Seulement maintenant, je remarque qu'elle a apporté une chemise contenant de la paperasse. Je suis intriguée.

– Qu'est-ce que t'as là-dedans ?

Ma mère regarde dans ses mains, comme si elle ne se souvenait pas qu'elle avait ces documents avec elle.

– Oh ! Ça ! C'est quelque chose que je voulais partager avec toi. Ce sont... C'est l'aboutissement de mes recherches, m'explique-t-elle. Tu permets que je vienne m'asseoir près de toi, pour qu'on regarde ça ensemble ?

Je hoche la tête et elle vient s'installer, tout en plaçant les coussins dans son dos pour être à l'aise.

– Alors, j'ai fait deux découvertes intéressantes dont je voulais te parler. Sur le site du ministère de la Sécurité publique, il y a de l'information très pertinente sur ce que tu as vécu. Puis, je dois dire que ça m'a servi aussi, m'avoue-t-elle. Je... Je voulais en apprendre plus, pour savoir comment t'aider, finit-elle en me regardant à la dérobée.

Je mets ma main sur son épaule pour l'encourager à poursuivre.

– Plus précisément, on y dit qu'il est..., fait-elle en mettant ses lunettes sur son nez, ah, voilà. En somme, il est expliqué qu'un adulte ne peut communiquer avec une personne de moins de seize ans pour l'inciter à avoir des rapports d'ordre sexuel avec lui. Est-ce que tu comprends ce que je veux dire par là ?

– Lui demander une rencontre pour faire l'amour, j'imagine ? je réponds en me disant que c'est exactement ce qu'Étienne et moi avons fait.

– C'est un peu plus que ça, poursuit ma mère. C'est aussi inciter une personne à avoir des comportements sexuels devant une webcam, ou lui envoyer des... des vidéos pornographiques.

Je baisse la tête, troublée. Dans le fond, tout ce que j'ai fait avec Étienne était purement, simplement, illégal. Puis je prends le temps de réfléchir quelques minutes à ce que ma mère vient de m'expliquer et j'ai le profond sentiment que ça ne correspond en rien à ma situation. D'une manière assez tordue, je n'ai pas eu l'impression d'avoir été *incitée* ou forcée à quoi que ce soit comme la loi semble le dire. Avant la séance de photos, j'avais seulement l'impression de connaître tranquillement l'amour. Même si ces événements avaient eu lieu dans une relation normale, je n'étais pas prête et je me suis fait croire que je l'étais, simplement pour vivre quelque chose de spécial. Mais, au final, ça m'a complètement dévastée sur tous les plans. Malgré tout, je dois me défendre et laisser savoir à ma mère que je ne suis pas complètement bête. Et je dois m'en convaincre aussi, dans le fond...

– Maman, il y a quand même quelque chose que tu dois comprendre : je pensais que j'étais amoureuse d'Étienne et que nous formerions un couple. Je... J'pensais qu'il m'aimait. J'pensais rien faire de mal. J'étais pas toujours à l'aise, mais... toi, t'étais pas mal à l'aise lors de tes premières fois ? C'est normal, non ? je demande en recherchant son approbation. Faut s'habituer aux nouvelles expériences !

Ma mère ferme les yeux et secoue doucement la tête, visiblement atterrée par ce que je viens d'énoncer.

– Non, mon poussin, il a essayé de te faire croire qu'il t'aimait. Mais c'était faux. Oublie qu'il y avait un Étienne avant et un Étienne après. C'était la même et unique personne. Il t'a menti afin de pouvoir profiter de toi, dit-elle en mettant une main sur ma tête et en se retenant de pleurer. Puis moi, si tu veux savoir, pour ma première fois, ou toutes les autres fois qui ont suivi, j'étais bien. Je ne me suis jamais sentie forcée à rien. J'y allais à mon rythme. Je faisais seulement les choses dont j'avais envie. C'est... C'est ça, le respect de l'autre, mais surtout le respect de soi qui fait la différence entre une agression et le développement d'une simple relation amoureuse.

Ma mère a peut-être raison, mais il faut aussi qu'elle sache que, de nos jours, les choses sont différentes. Si ce qu'elle raconte était vrai dans son temps, maintenant, ce n'est plus pareil. Nous, on passe par-dessus ce qui nous déplaît pour obtenir ce qu'on veut... C'est fou... Qu'est-ce qui a bien pu se passer ? Ma génération tente-t-elle de nous faire entrer dans un moule ? Et si ce moule n'allait pas à tout le monde ? Comme à moi ?...

– Je suis toute mélangée, maman, je lâche dans un souffle.

– Oh, je sais, je sais, poussin. Et ce ne sera pas facile, ajoute ma mère en déposant un baiser sur ma tête. Tu t'es seulement perdue en cours de route. Tu as oublié tes valeurs, un instant. Ça... Ça arrive, j'imagine... Tu as oublié la personne fantastique que tu es et tu as essayé d'en être une autre. Mais tu sais ce qu'on dit ? (Je secoue la tête.) *Chassez le naturel et il revient au galop !*

– Ouais, je poursuis, loin d'être convaincue, en continuant de jouer avec une mèche de mes cheveux.

– C'est beaucoup d'informations en même temps. Alors je vais te laisser ce dossier. Tu vas voir, il y a un site très intéressant et bien fait où tu peux aller lire des cas vécus*.

Maman prend mon menton et me force à la regarder.

---

* www.aidezmoisvp.ca

– On est tous derrière toi. D'accord ?

Elle n'attend pas ma confirmation et me prend dans ses bras. Elle laisse le dossier sur mon lit, me souhaite une bonne nuit et me répète qu'elle m'aime. Très fort.

Je m'allonge et essaie de relaxer un peu. Mais, aussitôt, des tonnes de souvenirs viennent m'assaillir, un à la suite de l'autre.

Je ne m'en sortirai jamais.

Vêtue de manière proprette, je suis assise avec papa, maman et mes frères. Mon avocate est au téléphone et a l'air occupée à régler les derniers détails avant que nous entrions dans la salle d'audience. Philippe est installé à ma droite et tient ma main fermement. Ça me rassure qu'il soit là parce que, sans lui, je ne sais pas si j'aurais eu la force de venir ici. D'ailleurs, c'est un des rares rapprochements physiques que je me suis permis ces derniers temps...

Je joue distraitement avec le bracelet que Philippe m'a offert pour mon anniversaire. C'était ça, le cadeau qu'il n'avait jamais eu l'occasion de me donner. Elles me réconfortent, les petites breloques qui y sont accrochées. Quand je suis seule et que j'ai le sentiment que je vais sombrer dans une mer de désespoir, je me rappelle que Phil n'est jamais bien loin. Attaché à mon poignet.

– C'est pas grand-chose, mais, quand je l'ai vu, j'ai instantanément pensé à toi, m'avait-il dit en me tendant la petite boîte.

Je l'avais saisie, les yeux pleins d'espoir. Je ne sais pas si c'est ce qui s'est passé entre nous qui venait teinter ce que je ressentais et ce que je ressens encore aujourd'hui, mais j'avais vu ce cadeau comme une preuve d'amour. Pas une preuve de l'amour que deux meilleurs amis partagent. Non. Plutôt le genre d'amour qui pourrait se transformer en quelque chose de romantique. Même si nous nous étions brièvement perdus de vue, le fait qu'il était toujours à mes côtés me faisait dire qu'il était ce que je voulais d'un copain : une présence indéfectible, rassurante. Et, depuis que nos lèvres s'étaient touchées, je ne pouvais m'arrêter de penser à ça.

– C'est un bracelet avec des breloques. Mais pas n'importe lequel, hein ! Y a des choses qui sont inscrites dessus, avait-il commenté, fier de m'expliquer son cadeau-concept, alors que je venais tout juste d'ouvrir la boîte.

J'en avais les larmes aux yeux, tellement j'étais émue par son geste. Il avait alors poursuivi :

– Quand j'ai vu ce qui était écrit sur les breloques, j'ai su que c'était fait pour toi. Regarde. Celle-là dit « respect ». L'autre dit « beauté intérieure » et elle, « unique ». Celle-ci, avait-il continué en saisissant la dernière, dit « courage ». Au départ, j'étais pas certain qu'elle te représentait, mais, quand on pense aux derniers jours, on voit bien que c'est toi. T'es une reine, Camille. T'avais pas besoin de te rabaisser à essayer d'être quelqu'un d'autre pour être bien dans ta peau.

Le bracelet avait émis un joli tintement pendant que Philippe l'installait à mon poignet. Je sentais une boule monter dans ma gorge, mes yeux brûler. Toutefois, les larmes refusaient de couler.

Philippe avait posé une main sur ma joue. Je ne pouvais m'empêcher de remarquer son infinie douceur. On aurait dit qu'il voulait ajouter quelque chose, mais qu'il ne savait pas par où commencer. Je pouvais voir que, dans sa tête, il cherchait les mots justes. Je pensais que ça y était. Qu'il allait m'embrasser de nouveau. Qu'il allait lui aussi m'avouer qu'il ne pensait qu'à moi depuis ce qui s'était passé, cette soirée-là, au *skatepark*, sous la pluie.

– Cam ?

– Oui ? avais-je dit en le regardant intensément dans les yeux.

– J'ai quelque chose à te dire, mais c'est... C'est... quand même délicat.

Pour l'encourager, j'avais posé une main sur sa joue.

– Tu sais à quel point j't'aime, Camille, pas vrai ?

– Hum, hum.

– J'veux pas te perdre. Tu... T'es comme la petite sœur que j'ai jamais eue. Alors...

Lorsqu'il avait prononcé les mots « petite sœur », je savais qu'il n'y avait désormais aucun espoir. J'étais grillée. Qui voudrait d'une relation amoureuse avec sa petite sœur ? J'avais baissé la tête, retiré ma main de sa joue en m'attendant à ce qu'il me dise qu'il était préférable que nous ne nous voyions plus. Après tout, tout le monde m'avait fuie, alors pourquoi pas lui ?

– J'voulais que tu sois la première à savoir que j'ai rencontré une fille super.

J'avais relevé la tête, un très large sourire aux lèvres. Et ce, malgré la douleur qui m'habitait tout entière et les voix dans ma tête qui me criaient : « Qu'est-ce que t'as été stupide de croire qu'il parlait de toi ! » Les yeux de Philippe étaient gorgés de lumière. Il avait l'air vraiment heureux.

– Raconte, qu'est-ce que t'attends ?

Je venais de dire ça avec une fausse joie. En fait, je ne voulais rien savoir de celle qui me volait celui que j'aimais.

– Elle s'appelle Audrey. On s'est connus sur le Net.

Ma fausse joie avait immédiatement fait place à la stupéfaction. Je m'étais figée sur place. Sur le Net ?

Il n'avait donc rien appris de ce que j'avais vécu ? Philippe avait vu le trouble dans mon visage.

– T'en fais pas, Cam. C'est la cousine de Christian. On a commencé à se parler sur le Net parce qu'elle habite à Vancouver. Mais elle va venir étudier ici, l'an prochain. On s'entend vraiment bien... Tu sais, Cam, y a moyen de faire des rencontres sur Internet et que ce soit sécuritaire.

À ces mots, j'avais hoché doucement la tête en signe d'approbation. Maintenant, en tout cas, je savais. Philippe était la preuve vivante que, malgré leurs nombreux défauts, les rencontres sur Internet pouvaient avoir du bon. Je l'avais vu aussi sur un des sites que ma mère avait trouvés lors de ses recherches. Il proposait toute une panoplie de conseils afin de faire des rencontres en toute sécurité*.

– J'voulais que tu sois la première à le savoir, parce que t'es ma meilleure amie, mais aussi à cause de ce qui s'est produit l'autre soir, quand on s'est...

Je ne voulais même pas qu'il le mentionne. Je ne voulais même pas qu'il y pense. Je me sentais vraiment ridicule.

– Laisse faire ça, Phil. Ça... Ç'a pas d'importance... C'est... T'as raison... C'était une erreur.

– J'irais pas jusqu'à dire que c'était une erreur... On s'aime, toi et moi... Mais juste pas comme ça...

---

* www.rcmp-grc.gc.ca/qc/pub/cybercrime/cybercrime-fra.htm.

– Ça va, Phil, rajoutes-en pas, lui avais-je demandé en baissant les yeux, n'étant plus capable de supporter son regard, encore moins ses mots. Quand est-ce qu'elle arrive ?

J'avais prononcé cette dernière phrase sur un ton plus enjoué, question de changer de sujet, mais question aussi de faire en sorte que des larmes n'envahissent pas mon visage. Je ne voulais pas gâcher son bonheur. Après tout, c'était un beau jour. Le cadeau, Phil finalement amoureux d'une fille pour qui c'est réciproque... Tout semblait parfait et, même si ce n'était pas le cas dans mon cœur, je ne pouvais pas le laisser paraître.

– C'est à nous, annonce la procureure de la Couronne en me souriant doucement et, par la même occasion, en me forçant à revenir à la réalité.

Nous nous levons tous, presque à l'unisson. Je ne suis pas la seule à être tendue. Ça paraît. Je suis la première à franchir les portes de la salle d'audience et, en entrant, je tombe nez à nez avec Étienne. Nous restons là, à nous dévisager quelques secondes. Peu à peu, son expression de surprise se mue en un sourire en coin. Je n'ai qu'une seule envie : lui donner un crochet du droit. Mes yeux doivent laisser présager un orage, car il passe à côté de moi en bredouillant qu'il doit aller aux toilettes. Un drôle de sentiment m'envahit quant à ce qui vient de se produire : de la fierté. Cette fois, c'est moi qui ai le gros bout du bâton. C'est lui qui va se retrouver dans le box des accusés et qui va se sentir mal d'avoir fait les choses qu'il a faites.

La séance débute. L'avocat de la défense se lève :

– À la lumière de l'analyse de la preuve, nous croyons qu'il est dans l'intérêt de mon client de plaider coupable à l'accusation d'agression sexuelle...

Mon avocate me serre doucement l'avant-bras, signe que c'est une bonne chose. Que, dans le fond, j'ai gagné. Mais cette petite victoire est bien mince, je trouve, en comparaison de tout ce que je vais devoir continuer de porter comme culpabilité et haine envers moi-même à la suite de ces événements...

- 17 -
Prise de conscience

Une nouvelle année scolaire s'amorce et nous la commençons avec une présentation orale, dans le cadre de notre troisième cours de français. Assez raide, merci ! L'année promet d'être chargée. Le sujet ? Raconter une épreuve qui nous a fait grandir. Ouais, le thème ne pouvait pas être mieux choisi...

– Camille, c'est à toi.

Madame Lebel me fait un sourire chaleureux pendant que je me dirige à l'avant de la classe. Je regarde les élèves et mes yeux croisent ceux de Kim. Immédiatement, elle me fait savoir qu'elle n'est pas heureuse que je sois dans sa classe en roulant les yeux. Deux pupitres plus loin, Anouck est là. Elle me sourit. Et, tout en avant, Philippe me fait un clin d'œil. Audrey, la blonde de Phil et ma nouvelle amie, assise derrière lui, m'envoie un petit signe de la main. Ça m'encourage à commencer. Je me racle la gorge.

– Pour les prochaines minutes, oubliez tout ce que vous connaissez de l'amour, parce que le monde dans lequel on vit, c'est juste un tissu de mensonges, et j'vais essayer de vous le prouver. Mon aventure a débuté quand j'ai supprimé mon compte Facebook. Puis, après avoir réfléchi, j'en ai ouvert un autre. Sur celui-ci, la seule photo qu'on peut trouver est un carré noir, en signe de rébellion contre le moule dans lequel la société essaie de nous faire entrer. Sur ce carré, j'ai inscrit une adresse fictive : www.détruiredesvies.com.

Tout de suite, je vois sur les visages de mes camarades qu'ils trouvent ma proposition intimidante, voire effrontée. « Pour qui elle se prend, elle ? » Mais je n'ai plus peur. Je ne crains pas de dire ce que je pense. Plus maintenant.

Bon. Ce n'est pas tout à fait vrai, parce qu'hier soir je me suis rendue sur Facebook pour tester mon texte auprès d'un nouvel auditoire. Et je n'aurais jamais cru recevoir cette réaction.

Statut
Je m'appelle Camille Samson et j'ai été victime d'un cyberprédateur. Et, aujourd'hui, sans peur, je peux le dire : j'ai vraiment été dupe. Et je voudrais que tu connaisses mon raisonnement, afin que tu ne sois pas toi aussi la victime beaucoup trop naïve d'un homme comme celui qui m'a bernée.

Un cyberprédateur, c'est un homme ou une femme qui fera usage de la flatterie, de la gentillesse ou encore de la promesse de biens matériels pour t'amener à te livrer à des actes de nature sexuelle par le biais de photos, de vidéos, etc. C'est un acte illégal.

C'est ce qui m'est arrivé.

Il faut que tu saches aussi que toutes ces photos de toi, un peu sexy, que tu mets sur Internet ou que tu envoies à ton chum, parce que c'est supposément cool, c'est considéré comme de l'auto-exploitation sexuelle. Autrement dit, c'est comme si tu t'exploitais toi-même. Sache aussi que, si jamais on trouvait ces photos sur ton cellulaire, ton courriel ou ton ordi, tu pourrais être accusé de possession de pornographie juvénile, même si tu es mineur.

C'est un pensez-y-bien.

Laisse-moi te poser une question à laquelle tu n'auras probablement pas de réponse.

Pourquoi ?

Pourquoi me suis-je si facilement laissé prendre à ce jeu ?

Je pense que dans le fond, après mûre réflexion, je suis une fille comme les autres. Et, comme toutes les jeunes de mon âge, j'ai toujours eu envie de tomber amoureuse et de rencontrer mon prince charmant. Mais, après ce qui m'est arrivé, des fois je me demande : depuis quand les histoires de Cendrillon servent-elles à des individus malintentionnés, qui n'ont qu'un seul et unique but, profiter de toi ? Depuis quand ces histoires servent-elles à créer de véritables cauchemars ? Je ne peux pas répondre à ces questions, mais tout ce que je sais, c'est que personne n'est à l'abri des faux marchands de rêves.

Pas même toi.

Recule et rappelle-toi. Lorsqu'on était petits, il n'y a pas très longtemps encore, on se languissait de l'idée de l'amour, sans savoir ce que c'était vraiment. On s'imaginait les chevaux blancs, les princesses et les princes charmants. Par contre, la vie ne s'est pas gênée pour nous fourrer dans le crâne sa propre définition des choses. Maintenant, amour égale sexe. Maintenant, on se languit du sexe. On veut tous y goûter et y toucher parce que le voir sans cesse, dans la vie de tous les jours, ça donne le goût de l'expérimenter. Mais le secret que toutes ces belles publicités ne révèlent pas, c'est que, pour savourer le sexe et toutes ses subtilités, il faut avoir, selon moi, un peu plus qu'entre zéro et quinze ans...

En tout cas, moi, je me rends compte que je n'ai rien compris encore.

Prends le temps de penser à ta vie et à ce dont elle est remplie. À comment on te propose de miser sur ton apparence ou ta sexualité pour avoir ce que tu veux. À comment la société te dicte l'attitude à adopter pour être considéré comme « normal ». Pourtant, il faut prendre conscience que nous sommes tous et toutes des personnes différentes avec des valeurs, des croyances et des désirs qui se modifient au gré de nos expériences de vie. Alors, pourquoi vouloir faire de nous des robots, alors que la beauté de tout ça, c'est d'embrasser ce qu'on est et d'oser être différent ?

En épluchant journaux, magazines et annonces publicitaires, je me suis rendu compte que le sexe est partout. Il est là et crie sa présence, banalisant la sexualité en la rendant accessible à tous, alors que c'est loin d'être le cas.

Surtout pour quelqu'un comme toi, comme moi, qui ne connaît pas encore grand-chose de la vie.

Je veux donc te mettre en garde. Te faire comprendre que c'est tout aussi bien de ne pas vouloir ressembler à un mannequin se dénudant pour la caméra, ou à une chanteuse utilisant ses courbes pour vendre des disques plutôt que le don de sa voix. Je veux te faire comprendre que le moyen de se sortir d'une adolescence trouble et de bien des problèmes, c'est de se faire une nouvelle philosophie de vie : ne jamais s'oublier ou mettre de côté qui on est. Ne jamais renier ses valeurs. Ne jamais ignorer cette peur qui broie notre estomac, car, bien souvent, c'est ce doute qui sauve notre vie.

Aie la force, le courage, mais surtout le bon sens de dire NON. Aie le courage de te poser des questions pour ne pas sauter à pieds joints dans la gueule du loup. Aie le bon sens de te rendre compte que ceux qui rient de toi et te tournent en ridicule parce que tu ne fais pas comme eux manquent de confiance en eux et essaient de te rabaisser à leur niveau. Aie le bon sens de prendre conscience que le plus beau cadeau qu'une personne en devenir puisse s'offrir, c'est le respect d'elle-même.

Tout ce que je viens de te dire ne t'empêchera pas nécessairement de tomber entre les mains d'un cyberprédateur ou d'un agresseur, peu importe l'âge qu'il a. Par contre, je peux t'assurer que c'est déjà un bon pas.

Je n'ai jamais voulu devenir une proie facile pour un cyberprédateur... Mais, avec le temps qui passe, je me sens changée. Pas nécessairement meilleure, mais changée. Mieux équipée.

À ma façon à moi, je veux maintenant essayer de changer le monde. Je ne sais pas trop ce que ça va donner, mais je vais tenter le coup. Je vais essayer de faire en sorte que cette page Facebook fasse partie de celles qui tentent de faire du bien autour d'elles.

Je te jure, tu vas entendre parler de moi.

Mais plus pour les mêmes raisons.

Philippe Auger, Anouck Chiasson et Audrey Arrow aiment ça.

En voyant cette preuve de soutien indéfectible de la part de mes amis, j'ai senti tout à coup mes joues reprendre de la couleur.

Une couleur rosée, douce et enfantine.

Mais j'ai souri, aussi. Un sourire devant un avenir que je veux innocent, jeune et plein de promesses.

Épilogue

Le curseur clignote tranquillement dans la barre d'adresse d'une page Internet. Camille le voit bien, là d'où elle est, installée sur son lit à faire ses devoirs. Ce soir, sa mère lui a permis d'apporter son ordinateur portable dans sa chambre. La jeune fille était d'avis que ce serait plus simple, le temps qu'elle termine ses recherches pour son travail de biologie, alors que, dans le salon, ses frères jouent bruyamment à des jeux vidéo.

Et, tout au fond d'elle, elle sent la démangeaison, comme une urgence.

Près de six mois se sont écoulés depuis Étienne. Camille considère qu'elle va bien. Mieux, en tout cas. Sa page Facebook, Détruiredesvies.com, *remporte un vif succès. Tous les jours, des jeunes viennent y raconter leur histoire sans aucune retenue. Ils expliquent comment et pourquoi ils se sont fait prendre dans les filets d'un cyberprédateur ou d'un agresseur quelconque. Cette page est vue comme un moyen de s'épancher ou encore de demander conseil par rapport à une situation qui paraît ambiguë. Il est même arrivé que Camille aille faire part de son histoire dans une école. Un professeur, ayant eu vent de sa page, lui a demandé de venir partager son histoire avec ses élèves, et elle a adoré l'expérience.*

N'y tenant plus, elle se lève et se rend à son ordinateur.

www.facebook.com

Elle prend d'abord le temps de vérifier sa page, pour voir s'il y a quelque chose de nouveau.

Rien.

Puis, elle se sent soudainement happée par ce qui la dérange vraiment : elle s'ennuie. Elle s'ennuie de l'excitation qu'apportait Étienne dans sa vie avant que tout ne bascule. De plus, elle ne peut compter sur l'amitié pour se changer les idées, parce qu'elle a perdu Camille et Anouck et que Philippe est toujours avec Audrey.

Dans un cas pareil, que faire ?

Le cœur battant, Camille replace le curseur dans la barre d'adresse en se demandant si elle aura vraiment le courage de taper ce qui lui trotte dans la tête. Bon, c'est vrai, l'expérience avec Étienne n'a pas été bonne. Mais la jeune fille se dit que, maintenant, elle sait à quoi s'en tenir. Elle se dit qu'elle est capable de détecter les mauvaises intentions d'une personne. Et, après tout, elle n'a pas changé. Au plus profond d'elle-même, elle est toujours la même Camille Samson qui rêve de trouver l'amour. Alors, pourquoi ne pas utiliser tous les moyens qui sont mis à sa disposition pour le faire ?

Si elle s'arrêtait à ce qu'Étienne lui a fait subir, ce serait le laisser gagner. Puis, l'effervescence de rencontrer quelqu'un de nouveau et de recevoir des flatteries lui manque énormément.

Elle en prendrait bien encore.

Juste un peu.

Alors... pourquoi pas ? Elle se jure que, cette fois, elle fera attention. Promis.

Doucement, elle pose ses mains sur le clavier et tape lentement :

www.twiig.com

C'est en un tournemain qu'elle se crée un nouveau profil sommaire, sans texte de présentation, et accède à la section de discussion du site. Rapidement, une petite fenêtre s'ouvre et le cœur de Camille se met à battre la chamade.

> ***Déchaîné_24***
> *Bonjour, toi. J'ai tout de suite été attiré par ta photo. Ouf ! T'es tellement jolie !* ☺

Camille referme rapidement le couvercle de son ordinateur.

Non.

Elle ne se fera pas prendre une deuxième fois.

Remerciements

Une fois de plus, je ne peux passer sous silence l'implication de ma famille, sans qui mon rêve d'écriture et tout ce qui s'y rattache ne serait pas possible. Merci de laisser l'écriture prendre autant de place dans vos vies.

Jade.

Chère Jade. Sans toi, l'histoire de Camille ne serait rien. Elle ne serait pas si sentie, si touchante. J'espère vraiment avoir été en mesure de faire transparaître sur papier une infime partie de l'horreur que tu as vécue et j'espère que cela te fait du bien de savoir que cette souffrance n'était pas vaine ; elle en aidera d'autres. Mais, malgré tout, n'oublie jamais une chose : tu es une jeune femme courageuse, unique, qui se respecte, magnifique à l'intérieur comme à l'extérieur.

Tu es une reine. Ne l'oublie jamais.

Merci pour tout.

Ressources

Cyberaide
Pour dénoncer l'exploitation sexuelle par Internet
www.cyberaide.ca

Aidez-moi svp
aidezmoisvp.ca

Centre de référence du Grand Montréal
Renseignements sur les ressources disponibles dans la grande région de Montréal
www.info-reference.qc.ca
514 527-1675

Direction de la protection de la jeunesse, Centre jeunesse de Montréal (Réception et traitement des signalements pour les jeunes de moins de dix-huit ans)
www.centresjeunessedemontreal.qc.ca
514 896-3100 (vingt-quatre heures sur vingt-quatre)

Jeunesse, J'écoute
www.jeunessejecoute.ca
1 800 668-6868

Tel-jeunes
www.teljeunes.com
514 288-2266

Centre pour les victimes d'agression sexuelle de Montréal (Ligne téléphonique d'urgence, vingt-quatre heures sur vingt-quatre)
www.cvasm.org
514 934-4504

Sexy Baby
Documentaire, en anglais. Matériel pour animation scolaire disponible.
www.sexybabymovie.com

Bibliothèque et Archives nationales du Québec
Règles de sécurité pour naviguer sur Internet
www.banq.qc.ca/services/information-parents/responsabilite-parentale/regles-securite-internet.html

Pour obtenir des informations concernant l'auteure ou échanger sur l'objet de son roman, vous pouvez communiquer avec elle à l'une des adresses suivantes :

Courriel
info@dianabelice.com

Site Internet
www.dianabelice.com

Facebook
www.facebook.com/dianabeliceauteure

L'auteure donne des ateliers en lien avec son roman. Pour obtenir des informations, rendez-vous à l'adresse suivante :

http://www.dianabelice.com/ateliers.html

Dans la même collection

Dans la même collection

Dans la même collection

Dans la même collection

Dans la même collection

Écorché

Félix Gravel a connu une enfance difficile. Avec un père violent et alcoolique, et une mère qui n'arrivait pas à tenir tête à son mari, le jeune garçon a appris à ne rien espérer de la vie.

À dix-sept ans, Félix veut finalement se prendre en main. Alors qu'il atterrit chez la famille Simard pour quelques mois, il revoit la jolie Frédérique. Élevée dans le luxe et la facilité, elle est bien différente de lui, mais il ne peut résister à l'envie de la séduire...

Frédérique voit en Félix une échappatoire à sa petite vie bien rangée. S'étant toujours conformée aux standards de perfection de sa mère, l'adolescente souhaite désormais s'affirmer et faire ses propres choix. Se laissera-t-elle influencer par le côté *bad boy* du jeune homme ?

Beaucoup d'adolescents sont aux prises avec de sérieux ***troubles du comportement,*** *parfois provoqués par un traumatisme, par un désir de s'affirmer ou de se rebeller contre les règles établies. À l'âge où l'avenir se prépare, le soutien des proches est précieux, afin de permettre à ces jeunes de trouver leur place dans la société.*

Dans la même collection

Tu vivras pour moi

Alexandra a quatorze ans quand la fatigue et les ecchymoses font leur apparition. C'est à l'hôpital que le diagnostic tombe : leucémie. À partir de ce jour, la vie de l'adolescente sera à jamais chamboulée... Pendant ses trente mois de chimio, elle fera la connaissance de Guillaume, un garçon en rechute d'un cancer des os. Guillaume illumine l'univers d'Alex, assombri par la maladie. Très vite, ils deviendront proches. Très proches. Jusqu'à tomber amoureux l'un de l'autre.

Mais pendant qu'Alex avance vers la rémission avec espoir, les mauvaises nouvelles s'accumulent pour Guillaume... Impossible alors de ne pas envisager toutes les possibilités, même la pire. Comment garder espoir quand les statistiques sont contre nous ? L'amour est fort et résiste à bien des épreuves, mais peut-il surmonter la mort ?

À l'âge où la plupart des adolescents vivent leur premier amour, rêvent de liberté, se sentent invincibles et ne doutent pas d'avoir un futur rempli de promesses, Alex et Guillaume voient leur univers s'écrouler. Maladie terrible et souvent mortelle, le ***cancer*** *oblige chaque année des centaines de jeunes à lutter pour leur survie.*

Dans la même collection

L'effet boomerang

Je m'appelle Lou et, il n'y a pas si longtemps, je partageais ma vie entre ma meilleure amie Lucie, Benjamin (que j'aimais en secret), et les heures de retenue que me donnait sans arrêt le directeur adjoint de mon école. J'y passais tellement de temps, d'ailleurs, que j'ai fini par y côtoyer Malo Servais, le garçon qui a brisé le cœur de Lucie. Je ne croyais pas cela possible, mais j'ai découvert en lui un être sympathique... qui m'a fait connaître la véritable amitié gars-fille. Jusque-là, tout allait bien, j'étais une adolescente comme les autres. C'est ensuite que ça s'est gâté.

J'ai prononcé le prénom de Malo devant mes parents, et là, une véritable bombe a explosé ! Pourquoi ma mère a-t-elle réagi si violemment ?

*Toutes les familles ont des secrets, mais certains sont beaucoup plus graves que d'autres. Quand la vérité refait surface après plusieurs années, les conséquences sont parfois désastreuses. À l'adolescence, un lourd **secret de famille** peut ébranler notre confiance en soi, nos rêves et notre bonheur... Il ne faut alors pas négliger l'importance de l'amitié pour surmonter les obstacles.*

Dans la même collection

Ce qui ne tue pas

Lili, Frankie et Liz avaient élaboré le plan parfait : mourir tous ensemble, sans que les gens croient à un suicide. C'est du moins ce qu'ils pensaient. Mais ça ne s'est pas passé comme prévu... Lili, elle, a survécu.

Après un long coma, elle se réveille à l'hôpital, où tout le monde crie au miracle. Mais pour l'adolescente, c'est un désastre. Elle n'est pas morte comme elle le voulait ! Pas facile de se battre pour recommencer à marcher quand ton seul souhait est d'en finir...

Lentement, Lili prend toutefois conscience que son geste a eu de graves répercussions sur les membres de sa famille. Méritaient-ils toute la peine qu'elle leur a fait endurer ? Au-delà du rétablissement de son corps brisé, la jeune femme devra entreprendre une guérison beaucoup plus difficile, celle de son esprit.

L'adolescence est une étape obligée, bien qu'éprouvante. Quand les choses tournent mal, on en vient parfois à envisager des solutions extrêmes, comme un ***pacte de suicide****. Un appui extérieur aurait pu aider Lili à y voir clair afin d'éviter d'emprunter cette voie sans retour.*

Dans la même collection

Garçon manqué

« Oh, la jolie petite fille ! » Je suis pas mal sûr que c'est ce qu'on a dit quand je suis né. On a regardé entre mes jambes et le sort en était jeté. Après, ça n'a plus arrêté. « Regarde ses beaux cheveux longs, comme ceux d'une poupée », disait toujours mon grand-père. Et mon frère refusait que je reste dans sa chambre quand il était avec ses amis : « Tu ne peux pas jouer avec nous, je ne veux pas d'une petite sœur dans les pattes. »

Éloïse. Je savais que c'était mon nom. Mais qui étaient la sœur, la poupée dont ils parlaient ? Je ne me reconnaissais pas dans ces mots, je me sentais différent et je ne comprenais pas pourquoi. Les miroirs et le temps ont répondu à mes questions. J'ai vu un corps de fille. Et pourtant... Je suis un garçon. Un gars, un homme, un ti-cul, un *dude*... Ou vous pouvez tout simplement m'appeler Éloi.

Parfois, la nature fait une erreur, et un enfant naît dans le mauvais corps. Lorsque cette personne prend conscience de sa différence, lorsqu'elle décide que le changement de sexe est sa seule option, un immense processus s'enclenche. L'auteur, lui-même en transition, utilise son expérience pour raconter tous les obstacles inhérents à la ***transsexualité***.

Dans la même collection

L'âme à vif

La lame de l'exacto va et vient. Clic, clic ! De plus en plus vite. Je l'approche du bout de l'un de mes doigts. Des frissons me parcourent. J'anticipe la douleur de la coupure et, en même temps, elle semble tellement... libératrice ! Juste un petit trait, tout doucement, pour voir...

Je n'appuie pas trop fort, je ne veux pas mourir ! Je veux seulement contrôler ma souffrance intérieure. Comment ? Je l'enterre sous une autre souffrance : physique, celle-là. Quel sentiment de puissance ! Mais... vais-je pouvoir arrêter ?

*Le nombre d'adolescents en détresse qui commettent un acte d'**automutilation** est en constante augmentation. Ce comportement serait adopté autant par les filles que les garçons, et la plupart auraient recours à cette solution pour évacuer un surplus d'émotions qu'ils se sentent incapables de gérer. Le soulagement est immédiat, mais temporaire, et c'est pourquoi il peut être très difficile de soigner ce trouble.*

Dans la même collection

Au-delà des apparences

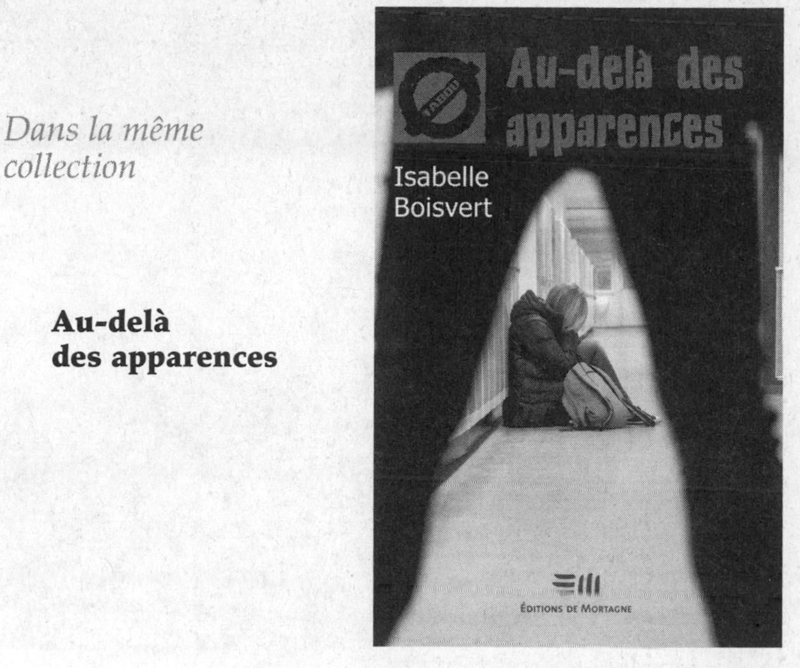

Si on m'avait dit, il y a quelques années, que je triperais sur Stéphanie Dubuc, je n'y aurais jamais cru. Mais voilà, maintenant, je suis pris au piège. Je suis tombé sous son charme et je n'arrive plus à me la sortir de la tête. Tous les autres la considèrent comme une nerd, une rejet, mais pour moi, c'est la fille la plus parfaite de l'école. Toutefois, quand on est un sportif populaire comme moi, on n'a pas le droit d'aimer ce genre de personnes. On se fait juger et nos amis pensent qu'on est fou.

Stéphanie croit que je la niaise, mais c'est faux ! Je l'aime tellement… Je dois réussir à la convaincre que mes sentiments sont réels. Je dois faire changer les mentalités dans cette école. Je dois surtout faire du ménage dans mes amis, parce qu'ils n'ont peut-être pas tous une influence positive sur moi, finalement.

*L'**intimidation** fait rage plus que jamais dans les écoles et elle a des conséquences désastreuses sur l'estime des adolescents. Quand on est témoin d'actes violents, et même de propos déplacés, on ne devrait pas garder le silence, mais dénoncer ceux qui s'amusent aux dépens de leurs victimes. Parce que les gestes font mal sur le coup, mais les paroles provoquent bien souvent des blessures pour la vie.*

Dans la même collection

La rage de vivre

À l'âge de huit ans, on m'a diagnostiqué un Trouble déficitaire de l'attention avec hyperactivité ; TDAH, pour les intimes. Qu'est-ce que ça fait dans la vie, un « déficitaire de l'attention » ? Eh bien, ça conteste l'autorité, c'est irritable, ça s'impatiente rapidement, ça parle tout le temps, ça coupe la parole, ça argumente, c'est incapable de tenir en place plus de cinq minutes, ça dérange les professeurs et les autres élèves en classe, ça se fait du souci pour n'importe quoi et ça échoue souvent à l'école. Bref, ça fait chier tout le monde.

J'ai donc grandi avec une perception négative de moi-même. Puis, un sentiment qui m'a toujours habité a commencé à prendre de l'ampleur. Ce sentiment, c'est la rage. La rage de vivre.

L'histoire de Vincent est celle de milliers d'adolescents souffrant de ***TDAH****. Souvent incompris et considérés comme turbulents, ces jeunes ont besoin d'un soutien adéquat pour bien saisir et maîtriser leur condition. Avec les outils appropriés, ils ont toutes les chances d'accéder au succès et de réussir leur vie.*

Achevé d'imprimer au Canada
sur les presses de Imprimerie Lebonfon Inc.